O Jardim dos Girassóis

4-5-13-3.000-21.000

Direção editorial: **Flávio Machado**
Assistente editorial: **Renata Curi**
Capa, projeto gráfico e editoração: **Estúdio Design do Livro**
Imagem da capa: **Rudchenko Liliia / Shutterstock**
Produtor gráfico: **Vitor Alcalde L. Machado**
Preparação: **Larissa Wostog Ono**
Revisão: **Maiara Gouveia**
Impressão: **Sermograf – Artes Gráficas e Editora Ltda.**

Dados Internacionais de Catalogação na Publicação (CIP)
(Câmara Brasileira do Livro, SP, Brasil)

Amaral, Lygia Barbiére.
O jardim dos girassóis / Lygia Barbiére Amaral. –
São Paulo : Petit, 2012.

ISBN 978-85-7253-208-2

1. Espiritismo 2. Ficção espírita I. Título.

12-09934 CDD: 133.93

Índices para catálogo sistemático:
1. Ficção espírita : Espiritismo 133.93

Impresso no Brasil, no outono de 2013.

Prezado(a) leitor(a),

Caso encontre neste livro alguma parte que acredita que vai interessar ou mesmo ajudar outras pessoas e decida distribuí-la por meio da internet ou outro meio, nunca deixe de mencionar a fonte, pois assim estará preservando os direitos do autor e, consequentemente, contribuindo para uma ótima divulgação do livro.

LYGIA BARBIÉRE AMARAL

O Jardim dos Girassóis

petit editora

Rua Atuaí, 389 – Vila Esperança/Penha
CEP 03646-000 – São Paulo – SP
Fone: (0xx11) 2684-6000
www.petit.com.br | petit@petit.com.br

CONFORME NOVO ACORDO ORTOGRÁFICO

Dedico este livro à minha colorida e mais que amada Lelé, mãe, amiga, companheira e leitora, que hoje me assiste lá das coloridas pátrias onde trabalha e habita, no plano espiritual; e a todos aqueles que sofrem com as saudades de seus entes queridos que já partiram para o mundo maior.

Capítulo 1

Alberto girou a maçaneta da porta e sentiu um estranho arrepio. Depositou a pesada pasta de couro no chão e consultou o relógio. Eram vinte para as sete. Estava adiantado.

Pensou em não ir ao trabalho. Mas logo se lembrou da entrevista com o presidente da empresa e concluiu que não poderia faltar naquele dia. "É engraçado", disse para si mesmo, "passei quatorze anos esperando por esse momento, sem faltar um dia sequer, e, justo hoje, quando estou prestes a alcançar a promoção que eu tanto desejava, tenho vontade de inventar uma desculpa para ficar em casa. Deve ser psicológico..."

Consultou mais uma vez o relógio e, vendo que ainda dispunha de mais de meia hora, fechou novamente a porta e encaminhou-se para o interior da casa.

Alberto tinha trinta e quatro anos, mas, em função dos fios brancos que há algum tempo teimavam em se misturar a seus espessos cabelos castanhos, aparentava um pouco mais. Era um homem bastante atraente, alto e másculo, dotado de rara inteligência e perspicácia.

Trabalhava numa empresa de consultoria e *marketing* especializada em pesquisas de opinião pública e em fabricar imagens de pessoas interessadas em se projetar na sociedade por alguma razão. Entrara para essa empresa quando ainda cursava o último ano da faculdade de publicidade e tinha verdadeira loucura pela profissão. Depois de tantos anos de dedicação, ambicionava agora o cargo de diretor-executivo, o qual tinha certeza de que seria seu logo após aquela tão esperada reunião com o presidente.

Desde que acordara naquela manhã, contudo, tinha uma sensação estranha, uma tristeza no fundo da alma, como se algo de muito grave estivesse prestes a acontecer.

– Tudo isso só pode ser bobagem da minha cabeça – disse alto, para si mesmo, enquanto entrava no quarto.

Lenita, sua esposa, dormia profundamente, abraçada a Felipe, o pequeno filho do casal, de apenas seis anos. Alberto sentou-se na cama e ficou a admirá-los por algum tempo. Lenita, na flor de seus vinte e sete anos, era uma mulher muito bonita, de grandes cílios e feições delicadas. Felipe era uma mistura dos dois. Logo que ele nascera, Alberto e Lenita ficaram surpresos com a sua tranquilidade, pois, ao contrário da maioria dos bebês, o menino praticamente não chorava. Por muitas vezes acordara de madrugada e permanecera quieto em sua caminha, esperando que Lenita se levantasse para amamentá-lo.

Alberto acariciou os cabelos da esposa com ternura e, ainda dormindo, ela dirigiu-lhe os lábios em forma de beijo.

– Tenha um bom dia, querida – disse ele, beijando-lhe os lábios.

– Você também – respondeu ela, sonada, virando-se para o outro lado.

Já ia saindo do quarto, quando percebeu Felipe de olhinhos abertos, sorriu para o filho, que pulou da cama e correu até ele:

– Pai! Eu te amo!

– Eu também amo vocês, filho. Nunca se esqueça disso – disse, com a voz embargada, abraçando o garoto.

Sentindo o peito apertado, Alberto dirigiu-se ao quarto da filha Juliana, de quinze anos, fruto de uma aventura que tivera na juventude. Ela dormia segurando um livro de matemática, em meio a uma bagunça generalizada. Havia roupas espalhadas por todo lado, uma mochila de livros revirada no chão, um pé de tênis sobre a escrivaninha.

– Ah, Juliana... – suspirou o pai, tirando-lhe o livro das mãos. Ela abriu seus grandes olhos azuis e o encarou preocupada:

– Pai, que horas são?

– Dez para as sete. Pode dormir mais um pouco. Hoje você só entra no segundo tempo.

– Nossa! – respondeu ela num pulo. – Mesmo assim, preciso levantar. Reza para eu me dar bem na prova de matemática, tá?

– E eu lá sou homem de rezar? – retrucou o pai com ar irônico. Deu uma batidinha no nariz da filha, como sempre fazia desde que ela era pequena, beijou-lhe os cabelos perfumados e garantiu:

– Você vai se sair bem na prova porque estudou. E veja se toma juízo e dê um jeito nessa bagunça – acrescentou, já de saída.

– Pai! – gritou ela, pegando alguma coisa sobre a mesinha. Alberto virou-se e Juliana estendeu-lhe um bombom, dizendo:

– Tome! Para você se lembrar de mim na hora do almoço!

Alberto abraçou mais uma vez a filha, guardou o chocolate no bolso e encaminhou-se para a sala. Ao abrir a porta da rua, sentiu novamente o arrepio. Era como se algo lhe dissesse que demoraria muito a voltar para casa. Muito mais do que nos outros dias. Dessa vez, porém, não deu atenção a seus pensamentos. Trancou a porta por fora e seguiu em direção ao elevador.

Tão logo chegou à rua, o mal-estar se desfez. Achou até que o mundo estava mais colorido naquele dia e sorriu satisfeito. Como de hábito, cumprimentou todos os porteiros dos prédios pelos quais passava em seu caminho e entrou na padaria de sempre, onde pediu para que embrulhassem três pãezinhos com manteiga.

Na entrada do metrô, logo adiante, quatro crianças de rua o esperavam.

– Ué? – estranhou Alberto, entregando os pães à menina mais velha. – Vocês se multiplicaram de ontem para hoje?

– Este aqui é o Kiko – disse a menina, mostrando o menino novo no grupo. – Nós o encontramos solto por aí e agora vai andar junto com a gente...

– E onde estão seus pais, Kiko? – quis saber Alberto.

O menino baixou os olhos e a menina mais velha tomou novamente a palavra:

– Ele não tem pai, não. É sozinho no mundo que nem a gente.

– Bom... – suspirou Alberto – eu lamento muito por isso. Lamento também não ter trazido um pão para você, Kiko...

– A gente divide o nosso com ele – decidiu a menina.

– Esperem! Eu tenho aqui uma coisa para vocês dividirem também – disse Alberto, tirando o bombom do bolso.

Enquanto os quatro discutiam se deviam comer primeiro os pães ou o bombom, Alberto se afastou preocupado. Não podia entender como tantas pessoas tinham coragem de abandonar seus filhos por aí, na mais profunda miséria. Queria poder fazer alguma coisa por aquelas crianças, mas não sabia exatamente o quê. Eram tantas... Se ao menos ele ganhasse um pouco mais...

Voltou então a pensar na promoção que esperava receber naquele dia. Se tudo corresse conforme imaginava, no dia seguinte traria uma caixa inteira de bombons para Kiko e seus amigos.

Quando desceu do metrô, já no centro da cidade, sentiu uma dor muito forte no peito. Parou por alguns instantes, respirou fundo e a dor passou. “Deve ser a emoção”, pensou ele, enquanto subia na escada rolante. Na calçada, olhou para o prédio da empresa, que ficava do outro lado da rua, e consultou mais uma vez o relógio. Como ainda faltavam quinze minutos para seu horário de chegada, sentiu vontade de passar na lanchonete em que sempre almoçava e acertar suas contas.

– Não se preocupe, não, doutor. Seu dia de acertar é só na próxima quinta – argumentou, simpático, o rapaz do balcão.

– Não tem importância, eu quero pagar hoje – insistiu Alberto, estendendo-lhe o dinheiro. – Depois, sabe-se lá se eu vou estar vivo até a próxima quinta? – arrematou bem-humorado.

– O que é isso doutor! Tenho certeza de que eu ainda vou antes do senhor. Com uma saúde dessa! – observou o balconista, devolvendo-lhe o troco.

Nem bem saiu da lanchonete, porém, Alberto começou a sentir novamente a dor no peito, agora muito mais forte. Suas mãos estavam geladas, a testa suava e o estômago regurgitava, dando-lhe ânsias de vômito. Parou no sinal, que piscava, e, pensando que era melhor chegar o quanto antes ao escritório, decidiu arriscar.

As outras pessoas, que haviam permanecido do outro lado do passeio esperando o sinal fechar outra vez, levaram um susto ao ver aquele homem parar subitamente no meio da rua segurando o peito e ser colhido por um táxi que atravessava a avenida como um relâmpago.

Capítulo 2

Lenita abriu os olhos assustada e deu com Felipe agachado ao lado da porta, chorando baixinho. Ainda estava sob o impacto do pesadelo que tivera. Mesmo assim, ela correu até ele:

– O que houve, filho?

O menino continuou chorando, sentido, sem nada responder. Lenita insistiu:

– Fale com a mamãe, Lipe, você está sentindo alguma dor?

– O papai – balbuciou ele. – Acho que vou ficar com muitas saudades dele...

– O que você está dizendo, Felipe? Também tive um pesadelo estranho com seu pai, mas...

– Eu sei que ele não vai mais voltar, mãe...

Com os olhos cheios de lágrimas, Lenita abraçou-o com força, tentando abafar, naquele abraço, o horrível pressentimento que também lhe cortava o coração naquele momento:

– Não fique assim, filho. Você teve um pesadelo, foi só isso. Vamos ligar para o papai para saber se está tudo bem?

Nem bem ela acabou de falar, o telefone tocou. Era do escritório. Uma voz desconhecida pedia para que Lenita fosse imediatamente ao local, alegando que Alberto não passava bem.

– Mas... – balbuciou Lenita – o que aconteceu? Eu não poderia falar com ele pelo menos? – Após um breve silêncio, percebeu que a pessoa do outro lado da linha falava baixinho com uma terceira pessoa:

– Ela quer saber o que houve, quer falar com o Alberto, o que é que eu respondo?

– É melhor não entrar em detalhes – ponderou a outra voz. – Diga apenas para ela vir o mais rápido possível. É bom que ela chegue antes do pessoal do necrotério.

Ouvindo isso, Lenita deixou cair o fone de suas mãos e ficou lívida. O choque foi tão grande que emudeceu. Não conseguia nem chorar. Vendo-a naquele estado, Felipe, com muito custo, conteve então as próprias lágrimas e correu até o quarto de Juliana.

– Ju, aconteceu a pior coisa do mundo...

– Felipe, eu estou estudando – respondeu ela, sem despregar os olhos do livro.

Felipe deixou escapar um soluço, e só então ela reparou em seus olhos inchados. Deixou cair o livro e correu até o irmãozinho.

– O papai... o papai morreu, Juliana – disse Felipe, por fim, e os dois se abraçaram, chorando sem parar.

Sem sombra de dúvida, aquele foi o dia mais triste da vida daquela família. Após o enterro, Lenita, Juliana e Felipe tinham a impressão de que nunca mais conseguiriam ser felizes de novo. Era como se a vida deles também tivesse acabado ali, junto com a de Alberto.

Só depois de duas semanas, as coisas começariam a se normalizar. Durante os primeiros quinze dias, embora também estivesse muito machucada, Juliana se mostrou a mais forte da família. Sua mãe, Selene, muito insistira para que ela se mudasse para sua casa, mas Juliana preferiu ficar com Lenita e Felipe, porque sabia que eles precisavam muito dela naquele momento.

Lenita quase não falava, não comia, não queria nem tomar banho. Se, num primeiro momento, ela não tinha conseguido sequer chorar, agora só sabia chorar o tempo todo, agarrada à foto de Alberto. Enquanto isso, Juliana cuidava de Felipe, contava histórias para alegrá-lo, improvisava sanduíches com o que havia sobrado na geladeira, obrigava Lenita a se alimentar e a tomar banho todos os dias. Até que perdeu a paciência e deu um ultimato à madrasta:

– Olha aqui, Lenita. Eu perdi meu pai e estou muito triste por isso. Mas eu não posso ficar ruminando essa tristeza o tempo todo, porque tenho só quinze anos e a minha vida continua. Tem que continuar! – ela fez questão de grifar, a despeito da lágrima que teimou em escorrer. – A gente não pode morrer porque o papai morreu. E o Felipe, que é uma criança? Você acha justo que ele fique sem pai nem mãe, da noite para o dia?

Lenita olhou para ela atordoada, sem saber o que dizer. Juliana continuou:

– Olhe para você! Está certo se entregar dessa maneira? Eu tenho certeza de que o papai não ia gostar nada de te ver assim!

– Eu estou horrível, não é mesmo? – respondeu Lenita, desanimada, olhando para suas próprias roupas amassadas.

– Mais que horrível, Lenita, você está parecendo até uma mendiga descabelada! E pensar que você era uma mulher tão bonita, tão cheia de vida... – observou Juliana.

– Mas eu...

– Não tem mas nem meio mas – interrompeu a moça. – Ou você reage e toca a vida para frente, ou eu pego o Felipe e me mudo lá para a casa da minha mãe. É isso o que você quer? Poxa, Lenita! Até eu que sou bagunceira já estou ficando desesperada com a confusão que virou esta casa!

Felipe, que escutava tudo atrás da porta, aproveitou a deixa e completou:

– Não tem mais nenhuma comida na geladeira!

Lenita olhou para os dois, suspirou fundo e admitiu:

– Vocês têm razão. Que péssima mãe eu estou me saindo... – e abrindo os braços para os dois: – Mas eu prometo que vou melhorar. Vocês me perdoam?

Juliana e Felipe correram a abraçá-la.

Depois disso, os três decidiram fazer uma boa limpeza na casa. Juliana se encarregou dos quartos, Lenita ficou com a sala e a cozinha, e Felipe resolveu ajudar com o aspirador. Encerrada a limpeza, decidiram fazer uma reforma na sala. Mudaram móveis e quadros de lugar, caçaram objetos nos quartos para substituir algumas coisas da sala que evocavam demais a memória do pai.

No fim do dia, cansados e satisfeitos, encomendaram uma *pizza* pelo telefone e fizeram planos para o dia seguinte. As crianças voltariam à escola, Lenita iria ao supermercado e depois sairia em busca de um emprego. Parecia até que tinham conseguido jogar fora a tristeza junto com a sujeira da casa.

– Na minha opinião, só faltavam algumas flores para alegrar mais o ambiente – comentou Juliana, observando a decoração, enquanto devorava um pedaço de *pizza*.

– E eu acho que a flor tinha que ser amarela – completou Felipe, empolgado.

– O pai de vocês sempre me dava flores amarelas – lembrou-se Lenita, começando a se entristecer novamente.

– Não vamos começar tudo de novo, não é mesmo? – cortou Juliana. Nesse momento, tocou a campainha.

– Já devem ser cerca de oito horas... Quem será? – perguntou Lenita.

– Deixa que eu abro – correu Felipe, seguido por Juliana.

– Não acredito! – exclamou Juliana, tomando nos braços o vaso de flores amarelas que o faxineiro do prédio viera entregar.

– A pessoa deixou também este cartão – disse o rapaz.

Curiosos com o que consideraram "um milagre", os três correram a abrir o cartão, que dizia:

Lenita:

Só ontem cheguei de São Paulo e soube da notícia. Como não sabia o que dizer, decidi enviar essas flores, em sinal do meu imenso carinho por todos vocês. Que elas possam trazer um pouco de alegria a esses coraçõezinhos tão machucados e lembrar a vocês que, apesar de tudo, a vida continua.

Com todo o carinho, do amigo de sempre,

João Vítor.

– É do meu padrinho... – disse Juliana, admirada.

– Lê para mim? – pediu Felipe.

Apenas Lenita não se empolgou muito com o cartão:

– Por um instante eu pensei que... – tentou dizer, mas sua voz se embargou.

– Que fossem do papai? – perguntou Felipe. – Mas será que ele pode mandar flores de onde ele está?

– Lenita, por favor, não chore... Tenho certeza de que não era essa a intenção do tio João Vítor – disse Juliana.

– Sabe o que é, Juliana? – respondeu Lenita. – É que eu não consigo parar de pensar onde é que ele está, se ele está bem... Onde, meu Deus do céu, será que ele está?

Ouvindo as palavras de Lenita, Felipe e Juliana também entristeceram. Felipe foi o primeiro a quebrar o silêncio:

– Pois eu acho que o papai está num lugar que tem um jardim muito, muito grande, maior do que todos os jardins que eu já vi aqui na Terra, e que lá tem flores de tudo quanto é cor e muitos passarinhos.

Lenita e Juliana se olharam surpresas e não puderam evitar um sorriso diante da certeza do pequeno Felipe.

Naquela noite, os três dormiram pensando em Alberto passeando feliz pelo imenso jardim que Felipe descrevera.

Capítulo 3

Felipe, Lenita e Juliana atravessaram, ressabiados, um grandioso portão, que dava acesso a um imenso jardim. O lugar era ainda mais bonito do que Felipe descrevera, repleto de flores perfumadas e delicadas. Entre elas, destacavam-se enormes girassóis amarelos, em torno dos quais sobrevoavam pássaros coloridos de espécies jamais vistas na Terra.

Depois de muito caminharem, os três chegaram até a entrada de um bonito prédio verde-água. Era uma construção antiga, porém muito bem cuidada. Um rapaz, vestido como enfermeiro, aguardava-os, perto da escadaria que dava acesso ao prédio:

– *Que bom que vieram!* – exclamou ele.

– Isto aqui é um hospital? – perguntou Juliana, curiosa.

– *Não exatamente* – respondeu ele, gentil. – *Digamos que seja um instituto de tratamento, bastante diferente daqueles que vocês estão acostumados a ver na Terra. Mas não deixa de ser também um hospital de pronto-socorro.*

Juliana esticou os olhos para tentar ver um pouco mais além da entrada, porém foi delicadamente impedida pelo enfermeiro:

– *Infelizmente vocês não têm autorização para conhecer o interior do prédio, agora. Mas, não muito longe daqui, uma pessoa os espera. Venham comigo.*

Num misto de desconfiança e ansiedade, os três seguiram o enfermeiro, que contornou o instituto e seguiu por uma alameda florida, inteiramente banhada de luz, a qual dava acesso a uma espécie de área residencial do instituto. Tudo era tão aprazível e acolhedor que, só de respirar o maravilhoso aroma do lugar, os três sentiam como se estivessem sendo invadidos por ondas de uma poderosa energia renovadora.

A área era composta por uma série de casinhas semelhantes, harmonicamente dispostas em torno de uma praça, em cujo centro havia um lago de águas cristalinas. Em volta do lago, havia caramanchões floridos que pareciam convidar à meditação e à leitura. Lenita e as crianças estavam tão deslumbradas com a beleza e a tranquilidade do local que nem perceberam que, sentada sob um dos caramanchões, uma pessoa os observava. Somente quando já estavam quase frente a frente com essa pessoa, Lenita se deu conta da surpresa que os aguardava:

– Tia Geninha! – exclamou estupefata.

– *Lenita, querida! Que bom vê-los aqui!* – respondeu a senhora, indo em direção à sobrinha com os braços abertos. As crianças se entreolharam surpresas, enquanto as duas se abraçavam longamente.

– Nossa! Mas a senhora parece que remoçou uns trinta anos! – observou Lenita.

– *Essa é uma das grandes vantagens de se viver no plano espiritual, querida. Aqui podemos escolher a idade que queremos aparentar. E eu escolhi ter sessenta anos, porque foi a idade em que me senti melhor, tanto em termos de amadurecimento quanto em termos físicos.*

– É isso! – observou Juliana. – Eu me lembro da senhora bem velhinha, da época em que a Lenita se casou com meu pai...

– A senhora conhece o meu pai? Pode me levar para falar com ele? – interrompeu Felipe, ansioso. Tia Geninha trocou um olhar com o enfermeiro e respirou fundo, como que tentando escolher as palavras para não desapontar os sobrinhos.

– *Na verdade* – ela ponderou – *foi para conversar sobre isso que a providência divina nos deu a oportunidade deste encontro. E também pelo merecimento de cada um de vocês, é claro.*

Os três trocaram um olhar interrogativo.

– Como assim? – quis saber Lenita.

– *Bem, logo após o desprendimento do corpo carnal, é raro a pessoa que desencarnou poder se comunicar com seus familiares, porque, em geral, tanto a pessoa quanto seus entes queridos, encontram-se ainda bastante perturbados emocionalmente nessa fase. Mas, como vocês são pessoas que procuram se dedicar sempre à prática do bem, gozando, portanto, de merecimento perante as leis divinas, e como estiveram muito preocupados com o estado de Alberto, Deus permitiu que viessem até aqui, enquanto seus corpos de carne dormiam, para conversar comigo sobre ele.*

– A senhora já morreu? – inquiriu Felipe desconfiado.

– *Dentro da sua concepção, sim. Quando eu deixei a Terra, você ainda era muito pequenininho, por isso não se lembra de mim como sua irmã. Mas, na verdade, ninguém morre; as pessoas apenas vão viver em outro lugar quando terminam seu período de aprendizado na Terra, assim como o estudante, que passa para a faculdade quando termina a escola, você me entende?*

– Mais ou menos – respondeu Felipe, pensativo. – Por que é que para mudar de escola as pessoas precisam morrer no caixão?

– Ele ainda está muito impressionado com a morte do pai, tia Geninha – observou Lenita, abraçando-o –, mas confesso que também não consigo entender por que as pessoas precisam morrer para continuarem vivas...

– *Meus amados! A única coisa que morre é o corpo de carne, jamais o espírito que o habita. O pai de vocês continua vivo e só foi embora da Terra porque já havia terminado a tarefa que se comprometera a cumprir antes de nascer. Cada um de nós tem uma tarefa e um tempo para cumpri-la, ninguém vai à Terra só para passear...*

– Eu não concordo com a ideia de que meu pai tenha terminado essa tarefa de que a senhora fala. Ele ainda queria conquistar muitas coisas no trabalho dele, ainda precisava ensinar mais um montão de coisas para nós, que somos seus filhos... – argumentou Juliana.

– *Será que não?* – ponderou o enfermeiro, que até então se mantivera calado. – *Será que todas as sementinhas que ele precisava plantar dentro de vocês já não estão plantadas? Afinal, pelo que posso observar, tanto você quanto seu irmãozinho são pessoas bastante maduras e equilibradas, apesar da pouca idade.*

– Isso é verdade – concordou Lenita. – Tanto um quanto o outro possuem um caráter fora do comum. Alberto sempre se preocupou em conversar muito com eles, em passar-lhes valores, bons exemplos...

– Mas onde está meu pai? – insistiu Felipe.

– *O pai de vocês está se recuperando aqui neste hospital, mas, como eu já expliquei, vocês ainda não podem visitá-lo* – revelou tia Geninha.

– Mas nem um pouquinho? – choramingou Felipe. – Eu prometo que só vou olhar um segundo para ele e...

– *Você já imaginou se ele acorda justamente naquele segundo? Como é que você vai explicar que ele já terminou a missão na Terra e que você não vai poder ficar aqui?* – explicou pacientemente o enfermeiro.

– Ele está dormindo desde o dia do acidente? – quis saber Juliana.

– *Sim. Em geral, as pessoas experimentam uma fase de torpor após seu desligamento do corpo. Essa sonolência, que é mais uma prova do amor de Deus por nós, impede que haja um sofrimento muito grande no período imediato ao desencarne.*

– E ele não vai acordar? – tornou Felipe, preocupado.

– *Claro que vai* – garantiu o enfermeiro. – *Só não podemos precisar quando. Acreditamos, porém, que o efeito do magnetismo espiritual que o fez adormecer já esteja quase no fim.*

– E nós vamos poder esperar? – perguntou Juliana.

– Eu vou ficar aqui até ele poder me ver – afirmou Lenita.

– *Não é bem assim, Lenita* – discordou tia Geninha. – *Dentro de poucos minutos, infelizmente, vocês terão de voltar a seus corpos* físicos.

– Mas... – decepcionou-se Lenita.

– *O importante é que, graças à bondade de Deus, vocês tiveram o seu pedido atendido. O que queriam não era saber como ele estava?*

– E quem vai falar para ele que ele já morreu? – preocupou-se mais uma vez Felipe.

– *Não se inquiete com isso, meu amor. No tempo certo, ele vai descobrir* – garantiu tia Geninha.

– Tadinho do meu pai... – suspirou Juliana, de olhos tristes – e a gente não pode fazer nada para ajudá-lo?

– Podem e devem – sentenciou o enfermeiro.

– *E a primeira coisa é não ficar chorando o tempo todo* – complementou tia Geninha. – *Sempre que sentirem saudades dele, o ideal é canalizar essa saudade numa prece sincera, desejando, do fundo de seus corações, que ele esteja bem, que também esteja encontrando forças para vencer os momentos difíceis.*

– *Ontem mesmo um amigo de vocês enviou para o Alberto um bonito vaso de flores amarelas com uma forte mensagem de encorajamento* – observou o enfermeiro.

– Vaso de flores amarelas?! – perguntaram juntos Felipe e Juliana, surpresos.

– Mas como é que... – tentou raciocinar Lenita.

– *Sim, aconteceu exatamente o que vocês deduziram. Trata-se do mesmo vaso que vocês receberam em sua casa. Como, porém, João Vítor o escolheu pensando no amigo, desejando que Alberto também pudesse recebê-lo, os bons espíritos que o acompanhavam naquele momento plasmaram uma cópia e a trouxeram para alegrar o quarto de seu pai* – explicou tia Geninha.

– E o que é plasmar? – quis saber Juliana.

– *Plasmar é modelar com fluidos espirituais aquilo que está no pensamento de uma pessoa, criar uma forma a partir de um pensamento. No plano espiritual, podemos fazer cópias de todos os objetos humanos dessa maneira* – ensinou o enfermeiro.

– Que interessante... E vamos nos lembrar de tudo isso quando a gente acordar? – quis saber Juliana.

– *De tudo, eu acho um pouco difícil. Mas, certamente, esse encontro ficará, de alguma maneira, gravado na memória de vocês* – asseverou tia Geninha.

– E quando poderemos voltar? – tornou Lenita.

– *Tudo só vai depender do merecimento e da sintonia de vocês. Se conseguirem manter seus pensamentos elevados, trabalhando sempre no bem e emitindo vibrações de paz e resignação, poderão voltar muitas vezes* – explicou o enfermeiro.

Zonza com tantas informações, Lenita permaneceu algum tempo calada e pensativa, até que arriscou mais uma pergunta ao enfermeiro:

– Se nós conseguirmos fazer tudo como o senhor falou, poderemos voltar todos os dias?

O enfermeiro tomou carinhosamente suas mãos e procurou escolher as palavras com o máximo de cuidado antes de instruí-la:

– Lenita, querida, você precisa entender que a missão de Alberto na Terra terminou, mas a de vocês continua. É claro que os laços de amor e de companheirismo construídos ao longo de todos esses anos de convivência não se romperão de uma hora para outra. A bem da verdade, laços assim não se destroem nunca, apenas adquirem outra dimensão de significado.

"Contudo, você precisará ser forte o bastante para construir uma vida independentemente do Alberto. Ele também terá trabalhos a fazer e, sobretudo, muitas coisas a aprender aqui no plano espiritual. Não seria bom para nenhum dos dois caso se mantivessem fixados um no outro o tempo todo.

Portanto, para o bem de vocês dois, procure pensar em outras coisas, aproveitar a sua oportunidade de crescimento e aprendizado na Terra. Pode ter certeza que nós estaremos cuidando bem do Alberto enquanto isso."

– E o que será de nós? Quem cuidará de nós? – emocionou-se Lenita.

Antes, porém, que ela começasse a chorar, tia Geninha aproximou-se, tranquilizadora, e, tocando-lhe o ombro esquerdo com carinho, disse com firmeza:

– Eu estarei ao seu lado, querida. Você sentirá a minha presença.

Lenita, Juliana e Felipe ficaram por alguns instantes cabisbaixos, pensando nas palavras de tia Geninha e do enfermeiro, até que ele fez o convite:

– O tempo se esgotou. É hora de partir. Que tal se fizéssemos, agora, uma oração de agradecimento ao Pai, pedindo-lhe pelo rápido restabelecimento de Alberto?

Dizendo isso, ele tomou a mão de Lenita, que segurou a mão de Juliana, que, por sua vez, agarrou a mãozinha de Felipe, e tia Geninha fechou a roda. O enfermeiro, então, proferiu sentida prece em nome de todos:

– *Querido Pai de amor e bondade, nós te agradecemos por esta oportunidade de podermos estar aqui, reunidos por amor a nosso irmão Alberto, e te pedimos, Pai, que ele possa acordar em breve, sem mágoas ou revoltas, conformado e restabelecido, pronto para iniciar mais uma etapa do seu desenvolvimento espiritual. Quanto a nós, Senhor, que possamos retomar nossas tarefas com alegria e resignação, e dar de nós o melhor possível para que um dia possamos voltar a conviver juntos no plano maior, na mais completa harmonia. Assim seja.*

Após a emocionada prece do enfermeiro, embora nem Lenita nem as crianças pudessem perceber, o local havia sido inundado por flocos azulados que caíam sobre suas cabeças e lhe penetravam os corpos, trazendo-lhes uma confortável sensação de bem-estar. Os três, então, abraçaram mais uma vez tia Geninha e seguiram o enfermeiro em direção ao portão pelo qual haviam entrado, carregando uma imensa paz em seus corações.

Capítulo 4

Os mesmos flocos azulados que envolveram Lenita, Juliana e Felipe, após a prece, também surgiram no quarto onde Alberto se encontrava e penetraram seu corpo adormecido. Poucos minutos depois, ele começaria a despertar.

Sentia a cabeça pesada, o peito dolorido e muita sede. Abriu os olhos e buscou com o olhar uma garrafa d'água. Só então percebeu que aquele não era seu quarto e que estava deitado numa cama de solteiro. Onde estaria? Como teria chegado ali? Lembrou-se, então, da entrevista com o presidente e tentou levantar-se, mas não conseguiu. Estava muito fraco. Será que estava num hospital?

Puxou pela memória, mas tudo o que conseguia visualizar eram cenas esparsas, sem muita ligação entre si. Lembrou-se da dor que sentira no metrô, do relógio marcando quinze para as oito, do balconista da lanchonete dizendo que ele tinha muita saúde. Será que passara mal na lanchonete? E Lenita? Por que não estava ali com ele? Percebeu então o vaso de flores a seu lado.

Quem as teria trazido? E que fraqueza era aquela que o impedia de se levantar? Precisava ligar urgentemente para o escritório.

Já ia tentar se levantar outra vez, quando a porta se abriu e entrou o enfermeiro, carregando uma bandeja sobre a qual havia um copo e uma jarra, contendo um líquido vermelho em seu interior.

– *Bom-dia, Alberto. Como se sente?*

Com muita dificuldade, Alberto conseguiu sentar-se na cama e olhou fixamente para o enfermeiro.

– *Quem é você? Que lugar é este? Ai... como dói a minha cabeça... E aqui no peito... Preciso de um gole de água...*

– *Tome* – disse-lhe o enfermeiro, estendendo-lhe o copo –, *beba isto. Vai lhe fazer bem.*

– *Mas isto não é água* – retrucou Alberto. – *Preciso falar com um médico. Tenho a impressão de que estou prestes a ter um enfarto.*

– *Beba o remédio, como lhe pedi, e volte a se deitar* – aconselhou o enfermeiro. – *Você precisa descansar.*

– *Mas como é que eu vou beber uma coisa que eu nem sei o que é? Você está pensando que eu estou de brincadeira?*

– *Fique tranquilo. É apenas um fortificante. Foi o doutor Márcio quem receitou. Vamos, beba.*

Alberto olhou para o copo, desconfiado. Bebeu o líquido de uma só vez:

– *Até que não é ruim. Mas, escute, quem é esse doutor Márcio? Meu médico se chama Augusto Chaves. Será que você não poderia entrar em contato com ele? O telefone está na minha carteira, que está...* – olhou ao redor, procurando algo. – *Onde estão minhas roupas e minha carteira?*

– *Por ora, você não vai precisar de nada disso. Agora deite-se e tente dormir um pouco.*

– Mas como não vou precisar de nada disso? E quem vai pagar a conta deste lugar? Eu... – bocejou – *está me dando uma moleza... Acho que vocês puseram algum sonífero nesse...*

O enfermeiro se aproximou, ajudando-o a deitar-se:

– Não se preocupe com dinheiro. Você não terá de pagar nada aqui. Agora procure descansar. Você precisa se refazer. Tenho certeza de que estará se sentindo bem melhor quando acordar.

Dominado pelo sono e pela fraqueza, Alberto se viu obrigado a obedecer. Aos poucos, foi sentindo todo o seu corpo amolecer, como se estivesse dopado. Ao fechar os olhos, fez um último pedido ao enfermeiro:

– Aqui não tem um telefone? O pessoal do escritório precisa saber que estou aqui. Minha mulher se chama Lenita, e o telefone dela é 3543...

Adormeceu, porém, antes de conseguir terminar a frase. O enfermeiro o cobriu com cuidado, recolheu o copo e saiu do quarto.

Capítulo 5

Naquele dia, Lenita, Juliana e Felipe acordaram extremamente bem-dispostos. Todos tinham a certeza de que haviam sonhado com Alberto, embora nenhum deles se lembrasse de muitos detalhes do que efetivamente acontecera. Apenas Juliana conseguia se recordar dos fatos daquela noite de uma maneira mais organizada, numa sequência com começo, meio e fim que apresentava algum sentido lógico. Por razões óbvias, porém, por mais que se esforçasse, ela não conseguia se lembrar do encontro com o pai, mas apenas da conversa que tivera com alguém no local onde este se encontrava.

Os três conversavam sobre isso na mesa do café da manhã especialmente preparada por Lenita, que acordara cedo e fora à padaria comprar os mais variados tipos de pães e biscoitos para fazer uma surpresa às crianças. Para completar a surpresa, tinha passado horas se arrumando diante do espelho. Escolhera um antigo conjuntinho azul que a deixava muito bonita, tendo prendido seus longos cabelos lisos com um arco da mesma cor.

– Eu me lembro da gente conversando com um enfermeiro que dizia que o papai estava dormindo e não podia ser acordado – contava Juliana. – Esse enfermeiro parecia uma pessoa muito boa. Ele pedia que não ficássemos chorando tanto, para não incomodar o papai – E fixando agora os olhos em Lenita:

– Nossa... como você fica bonita com esse conjunto!

– Obrigada, querida – agradeceu Lenita. – Mas, nesse seu sonho, o enfermeiro pedia para que a gente não chorasse só no sonho ou na nossa vida também? – interessou-se Lenita. Juliana ficou séria e olhou para o teto, como se buscasse enxergar alguma coisa na mente.

– Agora eu! – atalhou Felipe. – No meu sonho, eu, a mamãe e a Ju estavam...

– Estávamos – corrigiu Lenita.

– Estávamos passeando num jardim igualzinho ao que eu falei ontem – continuou Felipe. – Aí aparecia o papai, a gente começava a brincar, e ele dizia que ia para a faculdade...

– Lembrei! – cortou Juliana. – O enfermeiro dizia que a gente não podia chorar enquanto estivesse lá, para não acordar o papai, e também na nossa vida, porque a gente ainda tem um montão de coisas para fazer por aqui e, se ficarmos só pensando no papai o tempo todo, vamos acabar atrapalhando a nossa evolução e a dele também.

– Engraçado – emendou Lenita –, não sei como você consegue se lembrar de tantos detalhes de um sonho... Eu raramente consigo me lembrar de alguma coisa...

– Eu também me lembro – afirmou Felipe. – Lembro-me das flores do jardim, do papai dizendo que ia para a faculdade e...

– Está certo, Felipe, você já falou isso – interrompeu-o novamente Juliana. – Mas você não disse que tinha sonhado com ele também, Lenita?

– Eu disse – confirmou Lenita –, mas... como é que eu vou explicar... é muito mais uma sensação que eu tenho do que uma lembrança... A única coisa de que eu me lembro com clareza é de alguém, talvez o próprio Alberto, me dizendo que ele tinha recebido um vaso de flores igualzinho a esse que o João Vítor mandou para nós e... não sei, parece tudo tão embaralhado na minha cabeça... Tenho a impressão de que a minha tia Geninha também estava no sonho. Você se lembra dela, Juliana?

– Claro... – concordou Juliana –, quando você fala, me dá a impressão de que ela também estava no meu sonho, mas não consigo me lembrar direito dessa parte...

Depois de muito conversarem sobre o sonho, Juliana e Felipe foram tomar banho e Lenita ficou selecionando anúncios de empregos no jornal. Tinha feito três anos da faculdade de Letras, pretendia se especializar em português e inglês, mas, quando faltava apenas um ano para terminar o curso, engravidara de Felipe.

Na época, foi a maior confusão. Ela namorava Alberto havia apenas alguns meses e vivia no Rio de Janeiro com uma tia, a tia Geninha, então uma velhinha já bem caduquinha, irmã de sua avó materna. Seus pais, Conrado e Celina, viviam na Inglaterra já há dez anos – onde o pai trabalha até hoje como diplomata – e fora um custo convencê-los para que a deixassem voltar ao Rio de Janeiro para completar seus estudos.

Embora nunca tivesse experimentado dificuldades com a língua inglesa, Lenita, que sonhava um dia se tornar escritora, não conseguia escrever tão bem em inglês quanto em português. Por isso insistira tanto para voltar ao Brasil. Acreditava que, no curso escolhido, poderia aperfeiçoar simultaneamente seu inglês e seu português, e argumentava com o pai que não fazia sentido permanecer na Inglaterra para aprender a escrever melhor no próprio idioma.

Como o pai não admitia, em hipótese alguma, que ela morasse sozinha numa cidade como o Rio de Janeiro, e não lhes restava nenhum outro parente vivo no local escolhido, a única solução foi apelar para a velha e boa tia Geninha, que a acolheu prontamente, com todo o carinho.

Quando Lenita engravidou, tia Geninha prometeu guardar segredo. No entanto, como sua esclerose já andava bastante adiantada, não foi capaz de manter a promessa por muito tempo. Acabou contando tudo à sua mãe por telefone, numa tempestuosa tarde de domingo. Quando voltou para casa naquele dia, Lenita encontrou a tia em prantos:

– Lenita, querida, acho que esta sua tia velha aprontou uma confusão dos diabos... – dizia ela, chorando. – Tomara que Deus me castigue e me leve daqui antes de seus pais chegarem... Em seu desespero, Lenita só conseguia dizer:

– Mas, titia! Por que é que, em vez de esquecer que não podia contar, a senhora não esqueceu aquilo que não podia contar?

Na tarde do dia seguinte, Conrado e Celina aterrissavam no Rio, decididos a fazer com que o rapaz assumisse "seu erro", por bem ou por mal. A situação piorou ainda mais quando Conrado descobriu que Alberto era "reincidente", ou seja, que já tinha colocado outra filha no mundo nas mesmas condições, e, ainda por cima, assumira sozinho a responsabilidade. "E como Lenita iria começar a vida com duas crianças? E se a menina rejeitasse Lenita?", inquietava-se Celina.

Com sua lábia de publicitário, no entanto, Alberto não teve muita dificuldade em conquistar os sogros, que logo se encantaram com a doçura de Juliana.

Dois meses depois, Lenita entrava na igreja de braços dados com um Conrado todo orgulhoso. Tia Geninha foi madrinha do casamento e morreu pouco tempo depois de Felipe nascer.

Agora, lembrando-se de tudo isso diante do jornal aberto, Lenita sentia saudades da boa tia e pensava em quanto ela havia insistido para que não abandonasse os estudos.

– Mesmo que seu marido ganhe muito dinheiro, você tem que ter estudo – dizia ela. – Uma mulher não pode viver somente à sombra do marido, tem que ser independente. Eu não pensava assim quando tinha a sua idade e acabei viúva e burra!

Lenita sorriu ao lembrar-se das palavras da tia e disse alto:

– Ah, tia Geninha... Por que eu não ouvi seus conselhos? E agora? Vou arrumar emprego de quê?

Nesse momento, um forte vento entrou pela janela e virou a página do jornal que estava aberto no colo de Lenita. A moça deparou-se então com um grande anúncio no centro da página, com letras em negrito que diziam: "editora de renome procura jovens com bom conhecimento da língua inglesa escrita para trabalhos de tradução e revisão de textos originais. Mais informações no site..."

Lenita nem terminou de ler direito o anúncio, foi logo ligando o laptop para verificar o que dizia no site. Trêmula de emoção, fechou os olhos enquanto a conexão se completava e deixou sair as palavras que ecoavam em seu íntimo:

– Tia Geninha, onde quer que a senhora esteja, muito obrigada por este auxílio, porque eu tenho certeza de que foi a senhora quem me ajudou a encontrar este anúncio! Que Deus a abençoe e a proteja sempre!

Juliana e Felipe, que entravam na sala no momento em que Lenita fazia sua prece em voz alta, ficaram parados observando-a, sem entender direito o que estava acontecendo. Em sua sensibilidade infantil, porém, Felipe notou quando uma senhora se aproximou de Lenita e a abraçou, dizendo:

– Que Deus te abençoe também, minha filha. Daqui por diante eu estarei sempre ao teu lado, te protegendo.

Em seguida, tia Geninha olhou para Felipe, sorriu para ele e desapareceu. Assustado, o menino correu até a mãe e perguntou:

– Mamãe, mamãe, quem era aquela moça que estava falando com você?

Juliana o seguiu intrigada:

– Que moça, Felipe? A Lenita estava falando sozinha...

Lenita, que já estava convencida da incrível sensibilidade do filho, apenas olhou-o admirada e perguntou:

– Então você viu a tia Geninha aqui do meu lado?

– Hum, hum – concordou ele com a cabeça. – Ela parecia legal e era também um pouco parecida com a vovó.

– Eu não estou entendendo nada do que vocês estão dizendo – tornou Juliana.

– Depois eu te explico – disse Lenita, sorrindo, enquanto anotava rapidamente em seu caderninho algumas informações mostradas na tela. – Agora vamos. Eu vou deixá-los na escola, conversar com a diretora e voltar rapidinho para ver se consigo um emprego ótimo que eu acabei de descobrir aqui...

– Você vai mesmo trabalhar? Que legal! – comemorou Juliana.

– Se Deus quiser, Juliana, um dia eu ainda vou conseguir me tornar uma grande escritora – afirmou Lenita, contente, enquanto fechava rapidamente o laptop para sair.

– E eu vou ser seu empresário! – garantiu Felipe.

Os três riram. Lenita retocou o batom no espelho da sala, pegou a bolsa, abriu a porta e fez sinal para os dois:

– Vamos, pessoal! A vida nos espera!

Capítulo 6

João Vítor subiu as escadas rolantes do metrô e ficou parado diante do semáforo em que Alberto morrera. O sinal estava verde. Os carros passavam depressa e João Vítor não conseguia parar de imaginar a cena da morte do amigo. Lágrimas escorriam-lhe dos olhos, mas ele estava tão concentrado em suas divagações que nem se dava conta disso. A maioria das pessoas, absortas em seus próprios pensamentos e preocupações particulares, também não. Uma senhora bem-vestida a seu lado, porém, ficou encarando-o, como que para ter certeza do que via.

Era estranho ver aquele homem alto, de terno e gravata, tão atraente, soluçando em silêncio, emocionado. Pungida por aquela imagem, a senhora não resistiu e tocou-lhe os ombros:

– Meu filho, vejo que você não está bem... Posso ajudá-lo em alguma coisa?

Como que despertado de um sonho distante, João Vítor assustou-se com o toque. Instintivamente levou as mãos à face e só então se deu conta de que seus olhos choravam. Envergonhado, enxugou rapidamente as lágrimas com as costas das mãos e olhou com ternura para a senhora:

– Muito obrigado pela sua atenção. É que sem querer eu me lembrei de um amigo que morreu neste local há pouco tempo e... veja! O sinal fechou.

– Eu também vou atravessar – respondeu a senhora, acompanhando-o. – Desculpe-me pela indiscrição, mas este seu amigo por acaso se chamava Alberto?

– Sim – respondeu João Vítor, surpreso –, a senhora o conhecia?

– E como. Trabalhávamos juntos naquele prédio – respondeu ela, apontando para a empresa em frente.

– É mesmo? – tornou João Vítor, ainda mais surpreso. – Eu estou indo justamente para lá.

– Ah! Então o senhor só pode ser o João Vítor!

Os dois chegaram ao outro lado da rua e pararam na entrada do prédio. João Vítor estendeu-lhe a mão:

– O próprio. Muito prazer! Como a senhora sabe?

– Alberto falava muito de você. Sou Catarina, a secretária do presidente. Vamos subir?

– Claro! – respondeu João Vítor, acompanhando-a. – Que coincidência incrível!

– Um dia você vai descobrir que coincidências não existem – comentou Catarina, dirigindo-se à fila do elevador, enquanto João Vítor pegava um crachá na recepção.

O prédio era bastante luxuoso. João Vítor e Catarina desceram do elevador no décimo segundo andar e ela o conduziu até a antessala do presidente, onde trabalhava.

– Aceita uma água? Um cafezinho? – perguntou a ele, logo que entraram.

– Não, obrigado. Acabei de almoçar.

– Então sente-se um pouquinho que eu vou verificar se o presidente também já voltou – explicou Catarina, abrindo uma porta que dava para outra sala.

Em poucos segundos ela retornava, trazendo alguns papéis que encontrara sobre a mesa do presidente:

– Ele ainda não voltou, mas, antes de sair, deixou tudo isto aqui para eu digitar. Tem certeza de que não aceita mesmo um cafezinho?

– Obrigado, eu quase não tomo café – respondeu João Vítor.

– Pois então você não se parece nada com o Alberto. Ele tomava quase dois bules de café por dia! Posso até vê-lo batendo na porta, no final do expediente, dizendo: "Dona Catarina, por acaso não sobrou nenhum golinho de café da diretoria?" Todo santo dia era a mesma coisa...

Durante mais de meia hora, João Vítor e Catarina ficaram a conversar, enquanto ela digitava. Quanto mais trocavam ideias, mais João Vítor tinha a sensação de que já a conhecia há muito tempo. Por sinal, tamanho era o carinho com que ela falava de Alberto que dava para perceber que o amigo e Catarina também tinham grande afinidade.

– E quando foi que vocês se conheceram? – quis saber Catarina.

– Nós crescemos juntos. A casa de meus pais, no bairro de São Cristóvão, ficava ao lado da casa dos pais do Alberto. Ele era dois anos mais velho do que eu, porém, como nós dois éramos filhos únicos, sempre brincamos juntos.

– Mas na escola vocês estudavam em classes separadas... – imaginou Catarina.

– Por muito pouco tempo. Como meus pais trabalhavam numa fábrica e viviam ocupados, eu entrei na escola um ano antes do normal. Fui alfabetizado com cinco anos, a senhora acredita?

– Mas o Alberto estava pelo menos um ano na sua frente, não era? – ela calculou.

– Era, mas acontece que no quarto ano, quando a mãe dele morreu, ele foi reprovado. Desde então, nunca mais nos separamos. Depois que a mãe dele morreu, inclusive, ele passou a morar lá em casa, porque o pai dele não tinha o menor jeito para cuidar de crianças, e a minha mãe morria de pena do Alberto. Imagina que os dois passaram um mês comendo sardinha com salsicha, porque o pai do Alberto tinha vergonha de pedir ajuda aos vizinhos! Coitado... Logo depois, ele morreu. Acho que foi de saudades da mulher.

– E o Alberto então passou a morar definitivamente na sua casa?

– Foi. Sabe, a vida inteira a gente teve essa ligação de irmão... Por isso fiquei tão triste quando aconteceu o que aconteceu, e ninguém se lembrou de me avisar... Não pude nem me despedir dele... – lamentou João Vítor, com os olhos de novo marejados.

Percebendo sua tristeza, Catarina tentou retomar o rumo alegre da conversa:

– O mais incrível é que até a faculdade vocês fizeram juntos!

– Pois então! – recompôs-se o rapaz. – A gente só se separou quando o Alberto veio trabalhar aqui.

– E na época você trabalhava onde? – tornou Catarina.

– Ah, eu demorei bastante para me fixar. Trabalhei em várias agências de publicidade, mas só conseguia arranjar vaga na área de produção gráfica, e não tinha o menor jeito para isso...

– Eu me lembro que, quando o Alberto se casou com a Lenita, ele andou querendo que você o substituísse durante o período em que ficaria afastado em lua de mel... – recordou Catarina.

– Justamente. Foi nessa época que eu fui convidado para trabalhar em São Paulo, numa empresa como esta. Por isso, não aceitei – justificou o rapaz.

A porta se abriu e entrou o presidente, senhor Fernão Fernandez Ferraz. Pela sua fisionomia, já se via que era um homem duro e objetivo, cuja expressão facial não comportava espaço para muitas emoções. Dona Catarina apresentou-lhe João Vítor, ele o cumprimentou secamente e o convidou a entrar.

A reunião durou cerca de quinze minutos. Sempre muito objetivo, o senhor Fernandez Ferraz explicou que seu funcionário de maior confiança, que ocupava o cargo de diretor-executivo da empresa, se aposentara. Assim, havia convocado uma reunião com Alberto, no dia em que ocorrera o acidente, justamente para discutir a possibilidade de trazê-lo de São Paulo para assumir o cargo.

João Vítor chegou a sentir uma pontada de ódio dentro do peito no momento em que o presidente disse isso. Teve vontade de dar-lhe um soco na testa e deixá-lo falando sozinho. Afinal, mais do que ninguém, sabia o quanto Alberto estava apto para a vaga e o quanto havia lutado por ela. Pensando nisso, porém, decidiu escutá-lo até o fim, disposto a encontrar uma brecha para defender o amigo do discurso cínico e arrogante do presidente.

– Não pense que está aqui – continuou o senhor Fernandez – em nome de sua amizade com o falecido Alberto, que Deus o tenha. Fui informado, porém, de que você hoje é um dos mais competentes diretores-executivos nesta área, e ofereço-lhe o dobro de seu salário para que aceite a vaga. O que me diz?

João Vítor estava surpreso. Pasmo. Quando fora chamado para a entrevista, imaginara que Alberto pudesse ter deixado algum trabalho incompleto e que, sabendo-o seu amigo, eles o tivessem chamado apenas para pedir que terminasse o serviço, porque, como era sabido por todos na empresa, mesmo à distância, os dois sempre trocavam ideias sobre seus projetos.

Todavia, o que o doutor Fernandez Ferraz ignorava era que, no próprio dia da morte de Alberto, João Vítor havia pedido demissão da empresa em que trabalhava, por discordar da maneira irresponsável com que esta vinha investindo na construção da imagem de políticos corruptos e inescrupulosos. Aquela, no entanto, não deixava de ser uma oportunidade de vingar o amigo, e até mesmo de homenageá-lo, assumindo a vaga com que ele tanto sonhara. Mas... Será que valeria a pena todo aquele sacrifício? Aguentar aquele homem arrogante todos os dias só para homenagear Alberto?

– O senhor me ouviu? – chamou-o à realidade o presidente.

– Se o senhor me pagar o triplo do salário, eu aceito – João Vítor arriscou, como que a pleitear uma resposta do destino para suas indagações.

– Então estamos conversados. Espero o senhor amanhã, às oito e meia em ponto, para lhe passar suas atribuições.

João Vítor deixou a sala do presidente tão desnorteado que nem se despediu direito de Catarina.

Voltou para o hotel onde estava hospedado, abriu uma garrafa de bebida alcoólica, a primeira que encontrou, e pôs-se a ruminar sua revolta. Não tinha hábito de beber, mas estava com muita raiva, verdadeiramente indignado com a situação. Imaginou então que uma válvula de escape seria uma boa maneira de equilibrar suas emoções.

Ledo engano. Em vez de aliviar, o álcool trouxe à tona os conflitos em sua máxima intensidade; condimentou, por assim dizer, ainda mais a tristeza, a raiva, a indignação. João Vítor lembrou-se de todas as conversas que tivera com Alberto sobre a empresa, sobre a excessiva humildade do amigo, seu desespero por aquela vaga. Quanto mais pensava, mais aumentava seu ódio por Fernandez Ferraz.

Depois de um tempo relembrando tudo, chorou como criança, recordando-se dos bons momentos que vivera ao lado do amigo. Quando finalmente adormeceu, já passava das duas da madrugada.

Capítulo 7

O enfermeiro entrou no quarto de Alberto e o encontrou sentado na cama, com os olhos muito tristes:

– *Alberto, o que aconteceu? Você parece abatido...*

– *É como se eu ouvisse a voz do meu amigo João Vítor. Ele dizendo que precisa de mim... Então me vejo sendo atropelado por um táxi e meu coração começa a doer como se fosse explodir...*

– *Isso é normal* – explicou o enfermeiro. – *Você está começando a se lembrar. Procure não pensar nisso.*

– *Escute, eu não estou começando a me lembrar, eu já me lembrei. Eu sei que eu fui atropelado e que tive um enfarto. Ou tive um enfarto e fui atropelado, que diferença faz? Só não entendo como eu vim parar aqui, neste hospital, por que não me deram nenhum medicamento e...*

– *Você está sendo medicado* – garantiu o enfermeiro.

– *Como estou sendo medicado, se nem soro estou tomando? Que hospital é esse? E por que minha família não está aqui comigo? Vocês avisaram pelo menos à minha esposa que eu estou aqui?*

Antes que o enfermeiro pudesse responder qualquer coisa, a porta se abriu e entrou o doutor Márcio, de aspecto alegre e bem-humorado:

– *Alberto, como tem passado? Eu sou o doutor Márcio, soube que você queria me ver.*

– *Finalmente! Há dias que eu lhe mando recados! Espere... há quantos dias exatamente estou aqui?*

– *O tempo não mais importa para você, Alberto* – respondeu o médico. – *Na verdade, você está iniciando um novo tempo.*

– *Como iniciando um novo tempo?* – irritou-se Alberto. – *O que quer dizer com isto? Isso aqui, por acaso, é algum hospício? Exijo ser removido daqui, imediatamente, entendeu?*

– *Aconselho-o a não se exaltar* – retemperou o doutor Márcio. – *Isso pode atrapalhar muito a sua recuperação.*

– *Por quê?* – tornou Alberto, ainda mais exaltado. – *Por acaso estou aqui como prisioneiro? Quero ver minha família... Quero... Ai...*

Interrompeu a frase, transtornado de tanta dor no peito. Sentia-se como se fosse ter outro enfarto. Empalideceu, desmaiou de dor. O doutor Márcio impôs as mãos sobre a cabeça de Alberto e aplicou-lhe um passe, fazendo-o dormir.

Tempos depois, quando novamente acordou, deparou-se com uma senhora sentada a seu lado. Ela segurava um pote transparente com um espesso caldo dentro.

– *Alberto, querido, sente-se melhor?* – perguntou ela. – *Veja* – estendeu-lhe o pote, – *trouxe isto para você.*

Alberto sentou-se na cama. Um tanto desconcertado, pegou o pote e ficou olhando para ela, sem graça. Os dois passaram então alguns minutos em silêncio, ele com cara de assustado, ela sorrindo para ele.

– *Experimente* – convidou ela, estendendo-lhe também uma colher – *é uma sopinha. Fui eu mesma quem fiz! Preparei especialmente para ajudá-lo em sua recuperação.*

Alberto molhou a ponta da colher no caldo, olhou ressabiado mais uma vez para a senhora e acabou por levar a colher à boca, bem devagar.

Segundos depois, sorvia avidamente todo o conteúdo do pote. Parecia estar com muita fome.

– *Eu sabia que você ia gostar* – observou a senhora, satisfeita.

Ela caminhou até a mesa, pegou um prato de frutas coloridas e diferentes e o levou até ele:

– *Experimente também estas frutas que o enfermeiro acabou de deixar aqui. Tenho certeza de que vai apreciar.*

Alberto pegou o prato, olhou para as frutas. Escolheu uma verde, que nunca tinha visto antes. Tirou um pedaço, examinou por alguns instantes. Antes de morder, encarou novamente a senhora, até que não mais se conteve:

– *Desculpe perguntar, mas... quem é a senhora?*

– *Ah!* – respondeu ela, simpática: – *Eu é que peço desculpas por não ter me apresentado antes. Sou Amaziles, amiga de tia Geninha. Foi ela quem me pediu para vir, pois encontra-se muito ocupada.*

Disse isso e sorriu novamente para ele, que forçou um sorriso de volta.

"*Isso aqui só pode ser um hospício*", Alberto pensou consigo, "*e de onde surgiu essa velha maluca? Como é que pode ser amiga da tia Geninha, se ela já morreu há quase sete anos? Espera aí! Mas como é que ela sabe disso?*"

– *No começo é assim mesmo, querido* – tornou a senhora tranquila –, *a gente pensa que todo mundo é maluco...* – soltou uma risadinha. Quando ela ria, seus ombros se balançavam, como se todo o seu corpo compartilhasse de sua alegria.

A porta se abriu e entraram o enfermeiro e o doutor Márcio.

– *Ah! Vejo que finalmente recebeu uma visita!* – observou o médico, satisfeito. – *Como está, dona Amaziles?*

– *Muito bem, obrigada* – respondeu ela.

– *E você, Alberto, sente-se melhor?* – perguntou o médico.

– *Um pouco* – respondeu ele, de boca cheia. – *Assim que acabar de comer, vou me vestir e vou embora. Preciso de um tratamento adequado.*

– *Mas se aqui você tem tudo de que precisa, meu filho...* – argumentou Amaziles.

– *Que nada! Cheguei à conclusão de que sofri outro enfarto e eles não tomaram nenhuma providência* – afirmou, apontando para o médico e o enfermeiro. – *Eu, se fosse a senhora, também dava um jeito de sair o quanto antes daqui.*

– *Você está redondamente enganado, Alberto* – tornou o médico, tolerante. – *Nós fizemos o possível.*

– *Então, é verdade?* – indignou-se Alberto. – *Eu tive mesmo outro enfarto? E você diz isso assim? Como pode brincar dessa maneira com uma vida humana? Eu podia ter morrido!*

– *A morte não existe, a vida continua no plano espiritual* – esclareceu o doutor Márcio.

– *Sei* – esbravejou Alberto –, *mas acontece que eu não quero morrer. Tenho dois filhos para criar e...* – Ouviram-se algumas batidinhas na porta, que se abriu lentamente até que surgiu a cabeça de um tímido rapaz, aparentando pouco mais de vinte anos.

– *Com licença... Disseram que o quarto de Alberto era aqui e...*

– *É aqui mesmo. Tenha a bondade de entrar, irmão* – convidou o médico.

Ao ver o rapaz, Alberto teve uma reação de espanto. Abriu a boca, mas não conseguiu dizer nada. Foi o rapaz quem quebrou o silêncio:

– *Primo Alberto, que alegria revê-lo!*

– *P... p... p... Pedro?* – Alberto conseguiu dizer.

– *Sim, sou eu mesmo, como tem passado?*

– *B... b... b... bem...* – respondeu Alberto, sem conseguir parar de encarar Pedro com espanto.

– *Pois é. Desde que chegou venho tentando conseguir um tempo para visitá-lo, mas só hoje foi possível.*

– *E como vão as coisas em sua colônia, Pedro?* – perguntou dona Amaziles, gentil.

– *Su... sua colônia?* – estranhou Alberto.

– *Sim* – tornou Pedro –, *eu moro em outra colônia, que fica um pouco distante daqui. Graças a Deus, tudo vai bem por lá, dona Amaziles. Mas vejo que o primo Alberto ainda não está de todo recuperado...*

– *Recuperado... eu...* – repetiu Alberto, tentando concatenar suas ideias.

– *Talvez seja melhor eu voltar em outra hora* – deduziu Pedro. – *Doutor, peço que me desculpe, mas eu não sabia que...*

– *De maneira alguma* – assegurou o doutor Márcio. – *O irmão chegou na hora certa. A providência divina sabe o que faz. Volte quando quiser.*

Alberto continuava a encará-lo como se não acreditasse nos próprios olhos.

– *Bem* – disse Pedro, estendendo-lhe a mão –, *a gente se vê de novo em outra hora, primo...*

Ainda estarrecido, Alberto deixou que Pedro lhe apertasse a mão, mas não pôde dizer nada. Só depois que ele finalmente saiu do quarto, conseguiu revelar o que tanto o afligia:

– *Não é possível! Meu primo Pedro morreu de leucemia aos vinte e dois anos! Eu estive no enterro, eu tenho certeza de que...*

– *Como eu lhe disse, Alberto, a morte não existe, a vida continua no plano espiritual* – repetiu o doutor Márcio.

Alberto olhou espantado para o médico, para o enfermeiro, depois para Amaziles. Os três fizeram sinal afirmativo com a cabeça.

– *Mas então quer dizer que... não... não pode ser...* – balbuciou, ainda incrédulo.

– *É possível, sim, meu filho* – confirmou Amaziles –, *não só é possível como também já aconteceu a todos nós que estamos aqui.*

Alberto olhou novamente para os três seres que o rodeavam, sem saber o que dizer.

– *Eu tenho que ir agora, querido* – despediu-se a boa senhora. – *Se precisar de alguma coisa, é só mandar me chamar.*

– *Nós também estamos de saída* – informou o médico. – *Alberto precisa ficar um pouco sozinho com seus pensamentos.*

Em silêncio, os três abandonaram o quarto, deixando Alberto entregue a seu espanto. Ele jamais havia se sentido tão só em toda a sua vida. Neste momento, pensou fortemente em Lenita e nos filhos, e pôs-se a chorar desolado. Não era um choro de revolta, mas um choro de saudades. De muitas saudades.

Capítulo 8

Lenita sentia-se extremamente feliz naquele dia. Havia dois meses que tinha sido contratada pela editora, estava adorando trabalhar como tradutora e revisora. Os textos, escritos para uma revista feminina, traziam sempre assuntos que a interessavam. E o melhor era que podia trabalhar em casa, resolver tudo pelo computador. Só precisava ir à editora uma vez por mês para uma reunião. Com isso, podia estar mais tempo perto das crianças, ajudá-las nas tarefas de casa, preparar uma comidinha especial para elas de vez em quando.

Como havia acabado de receber seu primeiro salário, planejava fazer uma surpresa para os dois, preparando um prato especial para o jantar: um estrogonofe de camarão à moda russa que aprendera numa das receitas da revista.

Enquanto cantarolava distraída na cozinha, Juliana fazia seus deveres de casa e Felipe brincava de carrinho num canto da sala.

Súbito, porém, como que vinda do nada, enorme tristeza se abateu sobre os três.

Primeiro foi Lenita, que, procurando uma receita de pudim nas gavetas do armário da cozinha, encontrou antigo bilhete de Alberto e começou a chorar. Quase no mesmo instante, Juliana, que revisava uma matéria do início do ano, deu com a explicação de um exercício escrita com a letra do pai e também caiu em prantos.

Sintonizado com as duas, Felipe então começou a lembrar dos tempos em que o pai brincava com ele de carrinho e também não conseguiu segurar a tristeza.

Parecia que uma nuvem negra havia pousado sobre aquela casa, minutos antes tão alegre. Até as flores amarelas, que agora ficavam sobre a mesa da sala, murcharam um pouco naqueles instantes. Completamente desmotivada em meio a tanta tristeza, Lenita desligou o fogo e foi chorar na sala com as crianças.

No meio da choradeira, porém, o telefone tocou. Ninguém se animava a atendê-lo, mas a pessoa insistiu tanto que Lenita acabou se levantando.

– Alô? – disse, enxugando as lágrimas – Sim, é ela... Oi, João Vítor, tudo bem com você? É... A gente vai indo... É... Eu sei... Já tem mais de dois meses que ele se foi...

– É o tio João? – quis saber Juliana.

Lenita fez que sim com a cabeça.

– Deixe-me falar com ele – pediu Felipe.

Lenita fez sinal para que ele esperasse e continuou a conversa:

– No parque, no domingo? Não posso te prometer... Preciso primeiro falar com as crianças...

– Deixe-me falar, mãe! – insistiu Felipe.

– Espera aí, menino! – ralhou Lenita, sem sair do fone. – João, tem aqui uma pessoa que quer muito falar com você... – anunciou, passando o aparelho para Felipe.

– Alô, tio? Eu estou com muitas saudades de você!... Por que não vem aqui ver a gente?... Está todo mundo triste aqui em casa hoje... Está bom. Outro.

Felipe desligou o telefone com um sorriso matreiro e anunciou:

– Ele está vindo!

Naquele instante, sem que nenhum dos três percebesse, tia Geninha apareceu perto da janela. Ela sorriu satisfeita e comentou para si mesma:

– Eles não imaginam o trabalho que eu tive para convencer o João Vítor a ligar para cá...

Poucos minutos depois, a tristeza já havia passado. Lenita voltou para seu estrogonofe; Juliana resolveu dar uma geral no quarto para esperar o tio; Felipe foi procurar a camisa do Flamengo que ganhara de João Vítor no Natal anterior.

Quando João Vítor finalmente entrou na sala, os três não cabiam em si de contentamento. Era como se, abraçando-o, eles pudessem abraçar também um pedaço de Alberto.

Mais felizes ainda eles ficaram ao saber que João Vítor havia assumido o cargo com que Alberto tanto sonhara na empresa, e que, dali por diante, estaria sempre por perto. Numa atitude de respeito à memória do amigo, João Vítor jamais contou a eles que Alberto não fora sequer cogitado para o cargo e que não seria promovido no dia de sua morte, como todos imaginavam.

Juliana e Felipe idolatravam aquele "tio", que vinha de São Paulo todos os anos, especialmente para participar das festas da família. E era tão grande a afinidade que tinham com ele que todas as vezes em que o encontravam, mesmo depois de seis ou sete meses de afastamento, era como se o tivessem visto no dia anterior, jamais faltando assuntos para conversar.

Naquela noite, depois de saborearem o delicioso estrogonofe de camarão e o suco de tangerina que Lenita havia especialmente preparado, João Vítor passou uma hora ensinando Felipe a brincar com os times de botão que lhe trouxera de presente.

Depois, foi a vez de Juliana, que, não contente em tirar suas dúvidas de história e geografia com o tio, ainda trancafiou-o em seu quarto (por isso havia feito tanta questão em pôr ordem na bagunça antes que João Vítor chegasse) para tratar de um assunto particular. Na verdade, ela queria saber sua opinião sobre um problema muito grave que andava tumultuando a sua cabeça:

– Sabe o que é, tio, é que a minha mãe anda me enchendo a paciência, dizendo que eu tenho que morar na casa dela, que a Lenita não é minha mãe e aquelas coisas todas... – confidenciou Juliana.

– Mas a Selene sempre disse que não tinha paciência para criar filho – deixou escapar João Vítor –, quer dizer...

– Eu sei, tio, ela nunca ligou para mim, não precisa disfarçar. Mas é que eu acho que agora tem outro interesse em jogo, você me entende?

– Outro interesse? Como assim? – quis saber o tio.

– Bom, eu nem comentei isso com a Lenita, porque eu não quero que ela fique chateada. Foi uma barra conseguir que ela saísse da depressão...

– Posso imaginar... – concordou João Vítor, afagando os cabelos de Juliana. – Você é uma menina de ouro...

– Pois é. O problema agora é que a minha mãe está querendo pedir a minha guarda de qualquer jeito. Você já pensou como a Lenita vai ficar arrasada quando souber disso? – continuou Juliana.

– Eu só não estou entendendo por que ela resolveu isso agora – observou João Vítor.

– Esse é o ponto! A Lenita recebe uma pensão do meu pai, e a minha mãe está de olho nessa pensão. Se ela conseguir a minha guarda, ganha o direito a...

– Metade da pensão! Mas que absurdo! – exclamou João Vítor, compreendendo onde ela queria chegar. – Você acha mesmo que a sua mãe faria isso?

– Ora, tio, você não conhece a mamãe?

João Vítor pensou por alguns momentos e estalou os dedos, como quem tem uma ideia:

– Não se preocupe, Juliana. Eu vou conversar com a sua mãe. Agora, caso ela não queira me ouvir, eu sei como agir para impedir que ela faça isso com a Lenita.

– E o que você vai fazer, tio?

– Simplesmente, vou contar ao juiz tudo o que eu sei sobre ela. Você acha que, ainda assim, o juiz daria sua guarda para ela?

– Grande, tio! – disse Juliana, dando-lhe um beijo estalado no rosto.

Já eram mais de onze horas quando Juliana e Felipe finalmente foram dormir. Só então Lenita e João Vítor puderam conversar. Tinham muitos assuntos para pôr em dia. João Vítor sentou-se no sofá e Lenita trouxe da cozinha um bule quente de chá de jasmim.

– Você não imagina o quanto estou orgulhoso de te ver bem, trabalhando... – comentou João Vítor.

– Sabe – respondeu Lenita, servindo-lhe o chá –, percebi que, se eu não tocasse a minha vida para frente, iria enlouquecer de tantas saudades do Alberto...

– Nossa, que delicioso este chá...

– É de jasmim. Também adoro.

– Eu só não me conformo com uma coisa, Lenita... Por que você não mandou me avisar na hora em que...

– Ah, João Vítor, na hora eu virei um robô. Não conseguia pensar em nada. Nem a meus pais eu avisei... Tudo parecia um pesadelo...

– Mas você avisou a eles, não avisou? – quis saber João Vítor, provando mais um gole de chá.

– Na verdade, foi a Juliana quem ligou para a Inglaterra. Eles queriam vir para cá de qualquer jeito, mas eu pedi que não viessem. Pedi, não, impus! – Lenita sorriu, sorvendo mais um gole de chá em seguida. – Você já imaginou o seu Conrado e a dona Celina aqui dentro de casa, andando de um lado para o outro, reclamando de tudo? Eu não ia dar conta...

Os dois riram, imaginando a cena. Foi João Vítor quem retomou a palavra, mudando o rumo do assunto:

– Sabe, Lenita, eu estou gostando do trabalho na empresa, que é até muito mais ética do que a outra em que eu trabalhava, lá em São Paulo. A única coisa que me incomoda é aquele presidente. Que pessoa mais desagradável...

– Eu sempre achei isso – respondeu Lenita –, mas o Alberto não concordava comigo. Para ele, era Deus no céu e o doutor Fernão Fernandez Ferraz na Terra. Não sei como ele conseguia admirar tanto aquele homem!

– Toda vez que eu falo com ele – confessou João Vítor – me dá um ódio tão grande que eu sinto que mudo. Parece até que viro outra pessoa, fico rancoroso, amargo, sei lá... Por mais que eu me esforce, eu não consigo gostar dele... Sobretudo quando o vejo falando do Alberto com certo desdém, uma ironia...

– Eu nunca fui com a cara dele! – garantiu Lenita. – Mas o Alberto dizia que tudo isso era fachada, que, no fundo, o doutor Fernandez era uma pessoa triste e insegura, que tinha até um pouco de bondade no coração.

– A dona Catarina também diz isso – concordou João Vítor. – Mas, por via das dúvidas, eu prefiro me manter à distância, falar com ele o menos possível. Parece até que ele está gostando do meu trabalho...

– Nossa, por falar em trabalho, eu estou com uma dor nas costas que não me aguento... Tenho passado o dia inteiro no computador – desabafou Lenita.

– Onde dói? – Perguntou João Vítor, deixando a xícara e caminhando em direção a ela.

– Aqui, na raiz do pescoço – mostrou ela, levantando os cabelos.

João Vítor parou atrás de Lenita e pôs-se a lhe massagear as costas carinhosamente. Lenita estremeceu a seu toque. João Vítor também ficou um tanto quanto perturbado com o delicado perfume que exalava do pescoço dela. Um certo clima pairou entre os dois, que se afastaram rapidamente.

– Obrigada, já melhorou – cortou Lenita, levantando-se.

– Acho que já está na hora de ir... – despediu-se João Vítor, um pouco sem graça.

Naquela noite, Lenita experimentou certa dificuldade para dormir. Não conseguia parar de pensar na forte semelhança física entre Alberto e João Vítor, na sensação estranha que percorrera seu corpo no momento em que sentira os dedos dele tocarem em seu pescoço. Quando finalmente conseguiu relaxar, já eram quase quatro horas da madrugada.

Capítulo 9

Naquela manhã, Alberto acordou mais bem-disposto. Não sentia mais dores, tinha vontade de respirar ar puro. Aos poucos, começava a acreditar que talvez o doutor Márcio estivesse falando a verdade. Aconselhado pelo enfermeiro, decidiu descer e passear um pouco no jardim. Sua cabeça, porém, estava ainda tão confusa que ele não conseguia perceber a beleza do lugar.

Em seu caminho, cruzou com algumas pessoas alegres, outras pensativas, sentadas embaixo de árvores, outras estranhas, sentadas em pleno gramado, de pernas cruzadas e com a face voltada para o sol, como que congeladas numa postura de meditação. Outras, ainda, de aspecto bastante debilitado, caminhavam com muita dificuldade, amparadas por enfermeiros. Alberto sentou-se num banco e entregou-se a seus pensamentos.

"*Será que morri mesmo?*", perguntava-se. "*E todas essas pessoas? Será que também morreram? No fundo, eu continuo achando que estou num hospício...*"

Sem que percebesse, um homem simpático, aparentando mais ou menos a mesma idade que ele, sentou-se a seu lado e respondeu às suas indagações:

– *Sim, amigo, todos nós aqui já morremos, mas este lugar não é absolutamente um hospício.*

– *Quem é você?* – assustou-se Alberto. – *Como pôde ler meus pensamentos?*

– *É uma questão de sintonia* – respondeu o homem. – *Mas não se assuste, não é sempre que consigo; ainda estou me aperfeiçoando. Ah! Meu nome é Laerte, muito prazer* – disse, estendendo-lhe a mão.

– *Qualquer pessoa aqui pode ler meus pensamentos?* – perguntou Alberto, preocupado, depois de cumprimentá-lo sem muito entusiasmo.

– *De jeito nenhum. Somente aqueles que vibram na mesma sintonia, e haja treino para isso! Espíritos muito elevados, porém, podem saber tudo o que vai pela nossa mente sem o menor esforço, embora nós não possamos sequer detectar-lhes a presença, caso eles não queiram ser vistos* – explicou Laerte, feliz pela oportunidade de expor seus conhecimentos recém-adquiridos.

– *Sei. Então quer dizer que você vibra na mesma sintonia que eu...* – concluiu Alberto, debochado.

– *Acho que sim. Entendo exatamente como está se sentindo. No começo fiquei tão perturbado como você. Na verdade, até bem pouco tempo ainda não estava muito legal...* – confessou Laerte.

– *E depois?* – quis saber Alberto.

– *Depois entendi que a gente pode continuar a ser útil mesmo após a morte e me animei. Aqui podemos aprender muitas coisas* – afirmou satisfeito.

– *Como, por exemplo...* – incentivou Alberto, querendo mais explicações.

– *Ah, são inúmeras as possibilidades. O trabalho para nós é uma necessidade, assim como o alimento que sacia e o ar que se respira. Uma pessoa que não possa fazer nada para ocupar o tempo pode até enlouquecer de tédio* – explicou Laerte.

– *Isso lá é verdade* – concordou Alberto. – *Mas o que eu poderia fazer por aqui? Tocar harpa com os anjinhos?*

Laerte não pôde conter a gargalhada antes de retomar a seriedade para responder:

– *Os serviços são os mais variados possíveis, pois, assim como na Terra, também são muitas as tarefas a desempenhar, seja no campo da produção de bens, da pesquisa, das artes, do ensino, da cura... Eu, por sinal, desejo estudar enfermagem* – garantiu Laerte.

– *Enfermagem? Aqui? Não posso acreditar nisso* – rebateu Alberto.

– *Você ainda é iniciante* – observou Laerte. – *Aposto que ainda nem fez cursos de alimentação e volitação.*

– *Voli... o quê?* – perguntou Alberto.

– *Volitação, de volitar* – Laerte fez um gesto com os braços, indicando o voo. – *É assim que os espíritos se locomovem.*

– *Muito interessante* – comentou Alberto, com ar irônico. – *Que mal lhe pergunte, você morreu de quê?*

– *Enfisema pulmonar* – explicou Laerte.

– *Com essa idade?* – espantou-se Alberto.

– *Eu fumava muito* – confessou Laerte – *e você não pode imaginar o que eu sofri quando percebi que havia abreviado minha vida... Chegando aqui, tive que aprender a...*

– Escute – cortou Alberto – *você que já aprendeu tanta coisa, sabe, por acaso, como fazer para voltar à Terra?*

– *Ah, isso é muito fácil* – respondeu Laerte –, *mas se eu fosse você não tentaria.*

– *E por que não?* – rebateu Alberto. – *Então não sente falta de sua família, se é que tinha uma?*

– *Sim, eu tive uma família. Aliás, tenho. E foi pensando nela que fiz isso uma vez e me arrependi amargamente* – confessou Laerte. – *Ver a família, sem estar preparado, é uma sensação horrível. Você não pode imaginar...*

– *E se eu quiser tentar assim mesmo?* – insistiu Alberto.

– *Bom, nesse caso, é só você desejar ardentemente estar junto de sua família, fixar mesmo o pensamento nos seus que, numa questão de segundos, estará lá. Nosso pensamento tem muita força* – explicou Laerte.

– *Então quer dizer que...*

– *Não aja com precipitação, amigo* – advertiu Laerte, já se despedindo. – *Converse antes com seu médico, vai por mim...*

Depois que Laerte saiu, Alberto ainda passou longo tempo ali sentado, com os olhos iluminados, pensando em suas palavras.

Capítulo 10

Naquele domingo ensolarado de outono, João Vítor chegou cedo à casa de Lenita. Alegre e bem-disposto, usando tênis e bermuda, tocou várias vezes a campainha. De olhos sonolentos e arrastando seu pijaminha, dois números maior do que ele, foi Felipe quem abriu a porta. Ao dar com o tio todo esportivo, o sono logo foi embora para dar lugar a um enorme sorriso:

– Tio! Vai me levar para passear? – disse satisfeito, já pulando no pescoço de João Vítor para um abraço apertado.

– Acertou – disse João Vítor. – Te dou dez minutos para trocar de roupa!

– Oba! – comemorou Felipe, correndo para o quarto.

Lenita apareceu na sala em seguida. Usava uma delicada camisola lilás, coberta por um penhoar da mesma cor, que deixava à mostra o belo contorno de seu colo. Vendo-a nesses trajes, João Vítor não pôde deixar de sentir o coração bater um pouco mais acelerado.

– Bom-dia, Lenita – disse ele, sem conseguir disfarçar o brilho em seus olhos. – Vim buscá-los para respirar ar puro. O que me diz?

– Eu já estou pronto – atalhou Felipe, entrando na sala, carregando um par de tênis, de *short* e a camisa do Flamengo nas mãos.

Lenita, sentindo-se queimar pelo olhar de João Vítor, levou a mão ao decote e considerou:

– Não sei se eu devo... Tenho muito trabalho a fazer e...

– Ah, mãe, por favor... – pediu Felipe, já calçando o tênis.

– Hoje é domingo! – completou João Vítor. – A gente passeia um pouco, depois almoça e, antes das três, você estará de volta...

– Por favor, mãe! – insistiu Felipe.

– Bem, eu... – titubeou Lenita.

– Que tal se nós fôssemos ao Jardim Botânico? – propôs João Vítor.

– Isso, mãe, você adora ir ao Jardim Botânico! – emendou Felipe.

Lenita respirou fundo, olhou para os dois e sorriu:

– Está bem, vocês venceram. Eu vou trocar de roupa.

– Viva! – comemorou Felipe – Agora só falta a Ju!

João Vítor entrou no quarto de Juliana e encontrou-a sentada na escrivaninha, triste e pensativa, rabiscando um pedaço de papel. Ela não percebeu a presença do padrinho.

– Posso saber por que a minha menininha está assim tão jururu num dia tão lindo? – disse ele, beijando-a com carinho.

– Oi, tio – respondeu ela, chateada. – Ouvi vocês conversando na sala...

– E então, por que ainda não se aprontou?

– Eu não vou poder ir – tornou Juliana, sem tirar os olhos do papel que rabiscava. – Hoje é dia de visitar a minha mãe...

João Vítor abaixou-se ao lado dela, levantou seu rosto, e os dois se abraçaram, ficando assim por algum tempo.

– Quem vê pensa até que você vai a algum enterro – considerou João Vítor.

Juliana sorriu:

– Não. É que eu não gosto de ir à casa da minha mãe. Se eu pudesse escolher, é óbvio que eu preferia...

– Eu sei que você preferia passar o domingo conosco – interrompeu João Vítor. – Porém ela é sua mãe. Por pior que seja, eu tenho certeza de que ela gosta muito de você. E não podemos deixar de admitir que ela foi muito legal em permitir que você continuasse a morar aqui. Pelo menos, por enquanto...

– Por enquanto, né, tio? Você já conversou com ela sobre isso?

– Ainda não. Você já? – quis saber João Vítor.

– Não – respondeu Juliana. – Outro dia ela me ligou, para combinar esse almoço de domingo. Como não tocou no assunto, eu também não falei nada.

– Você agiu certo – ponderou João Vítor. – Quem sabe ela mudou de ideia? No fundo, é natural que ela sinta ciúmes de sua relação com Lenita. Eu, se fosse você, trataria a Selene com muito carinho, para que ela entendesse que você gosta dela, mas prefere continuar morando aqui, porque já está acostumada.

– Eu não sei se gosto dela – desabafou Juliana. – A gente foi sempre tão distante... No meu coração, a minha mãe é a Lenita...

– Mas você precisa levar em consideração que foi a Selene quem te botou no mundo. A Lenita, na verdade, nem tem idade para ser sua mãe, ela só é doze anos mais velha do que você.

– E, no entanto, a minha mãe tem trinta anos e se comporta até hoje como uma adolescente da minha idade – reclamou Juliana.

– Não seja injusta, Juliana. Será que você não se deixou influenciar demais pelas ideias do seu pai? Você mesma acabou de dizer que sempre viveu distante da Selene, que não a conhece tanto como deveria. Ou gostaria...

– Por mim, ela pode mor... – João Vítor tapou-lhe a boca, delicadamente, e propôs:

– Shh... Não diga coisas das quais você possa se arrepender depois. Por que você não dá uma chance à Selene? Encontre-se mais com ela, procure descobrir as suas qualidades. Acho que isso seria muito bom para vocês duas. É claro que você não vai gostar dela da noite para o dia, do mesmo jeito que você gosta da Lenita. Mas pelo menos procure respeitá-la. Sabe, por pior que sejam os nossos pais, a gente deve sempre respeitá-los acima de tudo...

– Está certo – concordou Juliana. – Eu vou tentar. Só não sei se...

– Isso a gente discute depois. Agora, mude de roupa depressa que eu deixo você lá de carro.

Assim, João Vítor, Lenita e Felipe despediram-se de Juliana em frente ao prédio de Selene e seguiram em direção ao Jardim Botânico. O dia estava realmente radioso, desses em que a gente não vê uma só nesguinha de nuvem no céu. Um dia azul de sol. No Jardim Botânico, a temperatura estava ainda mais agradável do que na rua, graças à leve brisa que brincava por entre as árvores. Felipe logo encontrou uma turminha de meninos jogando futebol num pequeno campinho de areia e juntou-se a eles.

João Vítor passou um tempo observando-o, depois se aproximou de Lenita, que estava em pé ao lado de uma árvore.

– Nossa, só você para me convencer a respirar este ar puro – disse ela, inspirando satisfeita. – Ah, como eu precisava disso... Desde que o Alberto se foi, eu...

– Respirando com técnica a gente consegue extrair energias positivas do ar – comentou João Vítor.

– E como é que se respira corretamente? – quis saber Lenita, respirando ainda mais fundo.

– Não podemos dizer que é correto ou não. Na realidade, como disse antes, são técnicas. Existe a respiração alta, média e baixa, e cada exercício tem uma finalidade. Para combater a depressão, por exemplo, ao inspirar, procure encher sua barriga com o máximo de ar, forçando seu diafragma para baixo. Ao expirar – ele tocou suavemente na barriga dela –, procure colocar tudo o que puder para fora, encolhendo o abdômen assim...

Tal como acontecera da outra vez, Lenita estremeceu ao toque de João Vítor. Muito próximos, os dois sentiram novamente um clima diferente se estabelecer entre eles, e ficaram imóveis por algum tempo, olhando um para o outro como se estivessem em transe.

– Nossa – disse Lenita se afastando –, tem horas em que você me lembra tanto o Alberto, chega até a me dar nervoso...

– Você se esqueceu de que nós fomos criados juntos? – tornou João Vítor, bem-humorado.

Ele ainda olhava fixamente para Lenita, quando Felipe chegou, todo suado, com as bochechas vermelhas de tanto correr:

– Mãe, tio, fiz três gols! Esses garotos não são de nada!

– Mas você está todo suado, Lipe – disse Lenita, carinhosa.

– Vamos tirar essa camisa?

– Nem pensar! – respondeu Felipe, segurando a camisa. – Estou com uma fome...

– Vamos almoçar? – propôs João Vítor. – Quem chegar por último é mulher do padre!

João Vítor e Felipe partiram em disparada, rumo à saída do parque. Lenita ficou ainda alguns instantes olhando para os dois correndo alegres pelo imenso jardim, sem conseguir deixar de se lembrar das outras tantas vezes em que vira aquela mesma cena, nos tempos em que Alberto ainda era vivo. Uma sensação estranha invadiu-lhe o peito, e ela sentiu seus olhos se encherem de lágrimas. A verdade é que, desde que acordara naquele dia, não conseguia parar de pensar em Alberto, um minuto sequer. "Ah, Alberto, eu gostaria tanto que você pudesse estar aqui conosco agora", mentalizou com força.

A saudade voltou ainda mais forte no momento em que ela se viu sentada à mesa com João Vítor e Felipe, num pequeno restaurante perto dali, onde Alberto também gostava muito de ir. João Vítor não tardou a perceber sua ansiedade:

– Aconteceu alguma coisa, Lenita?

– Não sei, estou com uma sensação estranha... É como se o Alberto estivesse... – lágrimas rolaram de seus olhos –, como se ele estivesse perto de nós agora...

Felipe arregalou os olhos, desconfiado, como se espreitasse algo ao redor. Também não conseguia parar de pensar no pai, desde que haviam saído do Jardim Botânico. De fato, Alberto estava mais próximo do que eles imaginavam. Atravessara o espaço desabaladamente, sintonizado com os pensamentos de Lenita e Felipe, e agora se encontrava em pé, no meio do restaurante, embora não pudesse ser visto por nenhuma das pessoas encarnadas ali presentes.

Alberto abriu os olhos, ainda tonto pela brusca mudança de atmosfera fluídica, e procurou identificar onde estava. Só então percebeu Lenita e Felipe sentados numa das mesas.

– *Então era verdade... Lenita, meu amor, eu consegui me sintonizar com você... Aqui estou!* – disse, aproximando-se da mesa. Alberto chegou a esticar o braço para tocar os cabelos de Lenita, mas estancou de repente, ao ouvir a voz de João Vítor, que segurava nas mãos dela ligeiramente emocionado, dizendo:

– Isso é bobagem, Lenita. Eu também sinto muitas saudades do Alberto, mas, infelizmente, ele morreu, nunca mais vai poder estar aqui conosco...

Só nesse momento Alberto notou a presença do amigo na mesa da esposa e do filho, e sentiu ódio por ele estar ali no seu lugar, segurando as mãos da sua mulher daquela maneira. Sentiu mais ódio ainda de Lenita, por haver esquecido dele tão depressa. Chegou mesmo a cogitar, naquela fração de segundos, que os dois já tivessem um caso desde antes da sua morte. Transtornado com os próprios pensamentos, sequer conseguia imaginar a possibilidade de eles estarem ali numa atitude de apoio mútuo, como realmente acontecia.

Percebendo a atenção com que João Vítor tratava Lenita, Felipe, por sua vez, também se sentiu enciumado e, com isso, acabou se ligando mentalmente a Alberto. Dada a sensibilidade extrema do garoto, os efeitos dessa ligação se fizeram sentir de imediato:

– Mamãe, estou sentindo dor de cabeça... – disse ele, atingido inconscientemente pelos pensamentos negativos de Alberto.

– Deve ser fome – disse João Vítor, passando a mão sobre a cabeça de Felipe. – Já escolheu o que quer comer?

Quanto mais os observava, mais ódio Alberto sentia. Tanto ódio que ele nem percebeu quando um espírito semiembriagado parou a seu lado e comentou, com o intuito de instigá-lo:

– *Você vai deixar isso barato, camarada?*

– *Quem é você? Como pôde me ver aqui?* – perguntou Alberto, muito bravo, ao espírito.

– *Já vi que é novato no ramo* – respondeu o espírito, soltando uma gargalhada. – *Eu já morri há muitos anos, camarada!*

Um garçom parou ao lado dos dois, com uma bandeja cheia de copos de cerveja. Enquanto João Vítor pedia-lhe refrigerantes, o espírito se aproximou da bandeja e aspirou o aroma dos copos. Alberto ficou olhando estarrecido para ele, que ofereceu:

– *Está servido?*

– *O que você está fazendo?* – perguntou Alberto.

– *Ora essa, bebendo, enchendo a goela!*

– *Mas como pode fa...*

Alberto se interrompeu para ouvir Lenita falando:

– Puxa, João, eu nem tenho como te agradecer a força que você tem dado para nós... Desde que o Alberto foi embora, eu...

Alberto se aproximou ainda mais de Lenita, que parou de falar e começou a se sentir mal. Ela ficou pálida.

– Lenita, você está bem? – preocupou-se João Vítor.

– Estou com tonteira, não sei... Minha cabeça também está doendo...

O espírito bateu nas costas de Alberto:

– *É sua mulher, não é? Eu, se fosse você, não deixava...*

Incitado pelo espírito, Alberto se aproximou de Lenita e tentou enforcá-la, dizendo:

– *Sua vadia... Então é assim que você sente a minha falta? Eu te mato se você não terminar tudo com ele agora, ouviu?*

– *Isso mesmo, gostei de ver* – comemorou o espírito.

Lenita se levantou, segurando o vômito, e correu para o banheiro. Alberto a seguiu. João Vítor também fez menção de ir atrás dela, mas Felipe o segurou, já querendo chorar:

– Não vai... Eu estou com medo, não quero ficar aqui sozinho...

– Ô, Lipe... – ensaiou João Vítor, agachando-se a seu lado. – Procure ficar calmo... Acho que a sua mãe está trabalhando muito. Assim que ela voltar, eu vou pedir ao garçom para embrulhar a comida e a gente volta para casa, está bem assim?

Alberto voltou do banheiro e se dirigiu ao espírito:

– *Ela está vomitando!*

– *Melhor vomitando do que beijando aquele canalha, você não concorda comigo, camarada?*

– *Não sei, ela...*

Alberto se interrompeu de novo para ouvir a conversa entre João Vítor e Felipe, que parecia mais calmo.

– Quando a gente chegar em casa, você joga botão comigo?

– Jogo, Lipe– respondeu João, procurando Lenita com os olhos. Felipe percebeu e mais uma vez não gostou.

– *Aproveita, camarada, que o garoto está também disposto a atrapalhar o romance dos dois. E tem uma sensibilidade rara; qualquer coisa que você diz, ele capta no ato!* – observou o espírito, perspicaz.

Atendendo sua sugestão, Alberto então abraçou Felipe e sussurrou em seu ouvido:

– *Você não quer que ele vá, filho. Eu sou seu pai e estou mandando você dizer que não quer!*

Felipe ficou pensativo por alguns instantes e disse ao tio:

– Não, melhor não. Acho que a gente deve ficar sozinho.

– O que você disse, Felipe? – assustou-se João.

– Eu disse que não quero que você vá lá para casa.

– Mas o que deu em você? Se agora mesmo...

Antes que ele terminasse de falar, Alberto sussurrou novamente no ouvido do filho:

– *Diga a sua mãe que você quer voltar para casa de táxi, entendeu? Ela está vindo.*

Felipe encarou João Vítor e disse:

– Não adianta. Eu não quero.

Depois, olhou instintivamente para a porta do banheiro, viu que a mãe se aproximava, ainda pálida, e correu ao encontro dela:

– Mamãe, vamos embora daqui...

João Vítor, boquiaberto, não conseguia encontrar uma explicação para o que estava acontecendo. Alberto se aproximou novamente de Lenita e disse:

– *Obedeça! Saia daqui. Agora! Agora, entendeu?*

Lenita, embora não lhe registrasse as sugestões como Felipe, sentia, de alguma maneira, suas vibrações, por estar emocionalmente muito ligada a ele naquele dia. Acima de tudo, unia-os a revolta por não poderem mais estar juntos como antigamente, e esse sentimento só aumentava seu mal-estar, fazendo-a realmente desejar sair dali o quanto antes. Com muita educação, ela tentou dizer isso a João Vítor:

– Olha, João, eu estou realmente muito mal. Acho melhor...

– Vamos embora, mãe. A gente pega um táxi – insistiu Felipe.

– Eu levo vocês – levantou-se rapidamente João Vítor.

– *Você não quer* – impôs Alberto ao ouvido de Lenita, que se mostrou ainda mais transtornada:

– Acho melhor ir mesmo de táxi. Amanhã a gente se fala.

– Mas... – ainda tentou argumentar João Vítor.

Lenita, porém, pegou sua bolsa, agarrou na mão do filho e saiu andando, ainda lívida, deixando João falando sozinho. Antes de segui-la, Alberto fez um sinal para o espírito, despedindo-se.

– *Falou, camarada! Meu nome é Xantipa* – respondeu ele. – *Se precisar de qualquer coisa, estou sempre por aqui.*

Capítulo 11

Enquanto isso, Juliana também passava por maus pedaços na casa de Selene. Logo ao chegar, ela descobriu que a mãe não convidara apenas ela para o almoço, mas também uma imensa turma de moças e rapazes na faixa dos vinte anos, com quem costumava sair todas as noites. Ainda que não tivesse nada contra aquelas pessoas, Juliana não se sentia nem um pouco à vontade vendo a mãe proceder com afetação e falsidade diante dos amigos. Selene andava de um lado para outro da casa, segurando um copo de bebida numa das mãos e um telefone celular na outra, ligando para os convidados que ainda não haviam chegado. Como de hábito, usava um anel enorme com uma pedra preta no dedo indicador, que Juliana achava horrível. De tempos em tempos, parava diante de algum dos presentes e, sem tirar o fone do ouvido, perguntava:

– Está tudo como você gosta, *ma chérie*?

Sentada no almofadão mais escondido da sala, Juliana lembrava-se de suas aulas de francês na escola e se perguntava irritada: "Será possível que ela não sabe que *ma chérie* é feminino? Querido, em francês, é *mon cher*, sua burra!"

Pouco depois, Selene finalmente desligou o celular e explicou a todos:

– A Martinha não vem porque está de ressaca. O Luca vai passear de iate com o pai, e a Cida ficou de passar mais tarde. Está esperando um telefonema do Tony, de Nova York. – Em seguida, aproximou-se de Juliana e dirigiu-se a ela com um certo carinho forçado:

– Filhinha, *ma chérie*, por que você está escondida desse jeito? Assim as pessoas vão pensar que eu não te dei nem um pouquinho de educação... – e dirigindo-se novamente aos convidados – Vocês conhecem a Juliana?

– É sua filha? Nossa, mas eu jurava que ela fosse sua irmã – comentou uma das moças, aumentando ainda mais a raiva de Juliana.

– Todo mundo diz isso, não é, *ma chérie*? – tornou Selene, satisfeita com o comentário, beijando falsamente a filha no rosto.

Juliana sorriu, sem graça e, assim que as pessoas pararam de olhá-la, puxou a almofada ainda mais para o canto e voltou para seus pensamentos:

"Ela só sabe se mostrar para os amigos. Irmã dela... era só o que me faltava... Coitada... Tão metida a rica e não tem nem onde cair morta... Só vive de pose... Que mal será que eu fiz a Deus para merecer uma mãe como essa?... Que saudades do meu pai!"

Selene, de fato, aparentava ter muito mais dinheiro do que tinha realmente. Não trabalhava, vivia apenas com uma pensão do pai, avô de Juliana, já falecido, que fora oficial da aeronáutica. Mas nem por isso abria mão de seus inúmeros caprichos. Vestia-se sempre na última moda, ia ao cabeleireiro todas as semanas, só andava com gente da alta sociedade, circulando por bares e boates caros.

Como consequência, estava sempre endividada. Quando estava de caso com algum daqueles *playboyzinhos* ricos que ela adorava, as coisas se ajeitavam. Quando não, a solução era recorrer a Alberto.

Não foram poucas as vezes em que Juliana ouviu o pai chamar a atenção de Selene para que desse um jeito em sua vida desregrada. Nessas ocasiões, a mãe invariavelmente culpava Alberto por ter destruído sua vida ao engravidá-la com apenas quinze anos de idade; dizia que se ele a tivesse assumido na época, como deveria, ela jamais teria chegado ao ponto em que chegara.

Depois de trocarem muitos desaforos, Selene caía em pranto e Alberto acabava dando-lhe um cheque para que cobrisse suas dívidas. Ela então abria um largo sorriso, despedia-se rapidamente de Juliana e sumia por mais alguns meses.

No fundo, Alberto tinha pena de Selene e não escondia isso de Juliana. Segundo ele contava, os dois tinham se conhecido na escola. Selene cursava a sétima série; Alberto, o segundo ano científico. Na época, ele não se conformava com o sucesso que João Vítor fazia com as colegas da classe e, numa festa junina, decidira então atacar as meninas mais novas, para mostrar a si mesmo que também era capaz de conquistar uma garota. E foi com esse intuito que ele se aproximou de Selene, tendo ficado extremamente sensibilizado quando ela revelou-lhe que também não tinha mãe desde os dez anos de idade. Assim, identificados em suas carências, os dois começaram a namorar.

O namoro durou pouco mais de um ano. Logo que Alberto entrou para a faculdade, chegou à conclusão de que Selene era imatura demais para ele e resolveu terminar tudo. Porém era tarde. Selene estava grávida de dois meses. Inconformada, ela o chantageou de todas as maneiras. Ameaçou abortar a criança, tentou até o suicídio. Alberto e João Vítor, porém, seguraram todas as suas barras.

Quando o pai de Selene morreu, num acidente de avião, um mês depois de Juliana nascer, ela os chamou à casa dos parentes, onde vivia, e entregou-lhes a criança, dizendo:

– Olha, Alberto, eu fiz a besteira, mas você também fez. Já carreguei por dez meses esse fardo, agora é sua vez. Meus tios só ficam me jogando na cara que essa menina vai ser uma perdida como eu, e não dá mais para ficar aqui por muito tempo. De modo que, ou vocês levam essa criança, ou eu vou ter que deixá-la num orfanato.

Assim, sempre ajudado por João Vítor e pelos pais do amigo, Alberto criou Juliana sozinho até que ela completasse nove anos de idade, quando ele conheceu Lenita e esta passou a dividir com ele os cuidados da menina, por quem se encantou desde o primeiro momento. Nesse tempo todo, Selene a visitou pouquíssimas vezes. Aparecia somente no aniversário de Juliana, no Natal ou quando precisava de dinheiro; uma ou duas vezes por mês, no máximo, telefonava para saber notícias da filha. Só depois da morte de Alberto passaria a ligar com relativa frequência.

Juliana pensava em tudo isso, quando foi despertada pela voz rouca de um rapaz, com o rosto cheio de espinhas, que lhe estendeu um prato de comida, dizendo:

– Tudo bem que você não queira falar com ninguém, mas precisa pelo menos comer alguma coisa. Vamos, pegue...

Juliana sorriu para ele e pegou o prato. O rapaz, que trazia também outro prato, puxou então uma almofada e perguntou:

– Posso sentar aqui com você?

– Se quiser... – respondeu Juliana, dando de ombros.

Durante algum tempo, os dois ficaram concentrados em seus pratos, até que ele tomou coragem e perguntou:

– É Juliana seu nome, não é?

Ela concordou com a cabeça, sem tirar os olhos do prato.

– Meu nome é Paulo. Também não conheço quase ninguém – continuou ele.

– Então, o que é que você está fazendo aqui? Quer dizer... – tentou corrigiu-se Juliana.

– Não precisa ficar envergonhada. Eu sei que eu não tenho nada a ver com essas pessoas. Na verdade, eu moro aqui no prédio e todo mundo me conhece porque faço alguns serviços de eletricista.

– Eletricista? – quis saber Juliana.

– É. Conserto tomadas, geladeiras, essas coisas... Daí, hoje de manhã, a Selene me pediu para dar uma olhada na geladeira dela, que estava com um probleminha, e...

– Você consertou? – perguntou Juliana admirada.

– Era só um fio que estava com mau contato. Ela então falou que tinha uma filha mais ou menos da minha idade, que estava com medo de que você ficasse desenturmada. Insistiu tanto para que eu ficasse para o almoço que acabou me convencendo. E... cá estou eu....

Juliana sorriu satisfeita. Era a primeira vez que Selene fazia alguma coisa por ela. Paulo parecia ser realmente uma pessoa legal. Era mesmo bem diferente daquele bando de riquinhos que circulava pela casa, bebendo sem parar. Não conseguindo conter a curiosidade, ela então perguntou:

– E quantos anos você tem?

– Eu? Dezessete! E você? – quis saber Paulo.

– Eu tenho quinze, mas vou fazer dezesseis no fim do ano, em dezembro.

Os dois passaram o resto da tarde conversando. Embora fosse um pouco tímido, Paulo se sentiu muito à vontade na presença de Juliana. Ele nunca tinha conseguido conversar tanto com uma garota. Porém ela era tão doce, tão simpática, que as palavras iam lhe saindo da boca sem que ele precisasse fazer nenhum esforço. Depois de algumas horas, descobriram uma incrível coincidência:

– Sua mãe trabalha naquela empresa? – disse Juliana, surpresa. – Meu pai também trabalhava lá, e agora meu padrinho. E como é o nome da sua mãe?

– Catarina.

– Dona Catarina? Eu não acredito! – exclamou Juliana, ainda mais surpresa.

Eram tantas as afinidades entre os dois que eles nem perceberam o tempo passar. Só por volta das dezoito horas, quando quase todos os convidados já tinham ido embora, eles notaram que Selene estava caída no sofá, completamente embriagada. Duas moças tentavam, em vão, fazê-la levantar-se dali e ir para o quarto.

– Eu não posso sair daqui... – dizia Selene, bêbada. – Ainda preciso conversar com a minha filha... Juliana...

– Acho que a sua mãe está precisando de você – disse Paulo.

– Ai, meu Deus... – desesperou-se Juliana.

– Fique calma, eu te ajudo – prometeu Paulo.

Os dois foram até Selene, que continuava gritando por Juliana.

– Você me chamou, mamãe? – perguntou ela, ressabiada.

– Juliana! Então você está aí.... Vocês conhecem a minha filha Juliana?... – tornou Selene, puxando a mão de Juliana. –

Essa menina vale ouro... Muito ouro... Todos os meus problemas vão acabar quando ela vier para cá... Não é mesmo, Juliana?

Atingida em suas fibras mais íntimas por essas palavras, Juliana puxou rapidamente sua mão das de Selene. Fazendo um esforço enorme para segurar o choro, ela olhou para Paulo e disse:

– Tchau, Paulo, eu tenho que ir. Outro dia a gente se fala.

Paulo ainda tentou encontrar alguma coisa para dizer, porém ela foi mais rápida do que ele. Bateu a porta e, em questão de segundos, ganhou a rua, com as bochechas molhadas de lágrimas.

Enquanto caminhava, com seu passo rápido, em direção ao ponto do ônibus, só pensava em Lenita e Felipe, no desejo enorme que sentia de chegar em casa e abraçá-los com toda a sua força. Quem sabe até João Vítor ainda estivesse lá, esperando por ela.

Em seu desespero, porém, Juliana não poderia imaginar o triste quadro que a esperava.

Capítulo 12

Sentada numa poltrona, com o olhar catatônico, Lenita observava o telefone tocar sem parar. Tinha os olhos inchados de tanto chorar e apertava contra o peito o antigo porta-retratos com a foto de Alberto. Sentado no braço da poltrona, Felipe, também abalado, segurava a mão da mãe e contava as manchas de terra no seu tênis. O telefone continuava a tocar. Sem tirar os olhos do tênis, Felipe resolveu perguntar:

– Mamãe, por que a gente não atende o telefone?

– Porque eu não quero – respondeu Lenita secamente.

– E nunca mais a gente vai atender o telefone?

– Não sei. Hoje, não – determinou ela.

O telefone parou de tocar. Do sofá em frente à poltrona, Alberto observava Lenita e Felipe. Embora eles não o vissem, era como se estivessem hipnotizados por ele, pela tristeza dele.

– Você está triste de novo, mãe? – perguntou Felipe.

– Um pouco... – respondeu ela. – Estou sentindo muita fraqueza... Muita falta do seu pai...

– *Ah, Lenita...* – disse Alberto, indo até ela. – *Eu também senti tanto a sua falta... Como você pôde me trair desse jeito? Com o meu melhor amigo...*

O telefone começou a tocar novamente. Felipe levantou-se:

– Mamãe, será que não é melhor a gente atender? E se for a Ju?

– *Nem pensem em atender esse telefone!* – gritou Alberto.

Felipe arregalou os olhos e olhou para os lados:

– Parece que eu ouvi a voz do papai... – disse ele.

– Não, você não ouviu. Você nunca mais vai ouvir – respondeu Lenita.

O telefone parou de tocar.

– Ele até que podia dar um jeito de ligar para gente de vez em quando – considerou Felipe. – E a Juliana, mãe, ela não vai voltar para casa?

– *Afinal de contas, onde está Juliana, Lenita?* – perguntou Alberto ao ouvido da esposa.

– Juliana... Onde está Juliana... – repetiu Lenita, com seu olhar catatônico.

– Mãe, você está muito esquisita. Não estou conseguindo ficar aqui perto de você – disse Felipe, afastando-se. – Tomara que a Juliana chegue logo.

Assim que ele se afastou de Lenita, tia Geninha, sem ser vista por ninguém, nem mesmo por Alberto, chegou perto de Felipe e o envolveu com uma luz dourada, que se manteve, por algum tempo, em torno do menino. Geninha sumiu novamente, e a porta se abriu. Já era noite, a sala estava escura.

– Lenita, Lipe! Vocês estão aí? – gritou Juliana, entrando.

– Ju! – respondeu Felipe, correndo a abraçá-la.

Juliana acendeu as luzes e só então deu com Lenita, sentada na poltrona, com o porta-retratos apertado contra o peito.

– Ai, meu Deus – suspirou Juliana –, este dia não pode estar acontecendo... Lenita, o que houve?

Lenita não respondeu. Alberto aproximou-se de Juliana e a abraçou, dizendo:

– *Filha, que saudades que eu estava de você...*

Como que sentindo, intuitivamente, a presença do pai, Juliana, que já estava bastante abalada com os últimos acontecimentos, deixou-se cair no sofá e começou a chorar.

– Ai, agora você também – choramingou Felipe...

Ele olhou então para o corredor que dava para o interior da casa e viu tia Geninha fazendo sinal para ele. Felipe a seguiu até a porta de seu quarto, onde ela sumiu novamente. Ele então olhou para sua caminha e, intuído por ela, decidiu deitar um pouco para pensar no que fazer. Em poucos minutos, adormeceu profundamente.

Juliana ainda permaneceu algum tempo chorando na sala, lembrando-se do pai. Alberto também chorava a seu lado. Envolta nesse clima, Lenita, que também começara a chorar novamente, começou a recordar as imagens do enterro de Alberto, de seu corpo deformado pelo atropelamento.

À medida que Lenita visualizava essas imagens, Alberto também as captava e desesperava-se mais. Pouco a pouco, seu corpo espiritual, ainda em fase de recuperação, começou a apresentar os antigos hematomas, e ele voltou a sentir os sintomas do enfarto.

– *Por favor, parem com isso* – pediu ele. – *Estou sentindo falta de ar...*

Completamente sintonizadas com ele, Lenita e Juliana começaram a sentir um aperto no peito, desses que aparecem quando alguém de quem a gente gosta muito se encontra em perigo.

– Meu coração está doendo – disse Juliana.

– O meu também – respondeu Lenita. Só então as duas se encararam e correram para o abraço.

– Acho melhor a gente dormir – disse Juliana, recompondo-se. – Vamos rezar para o papai e depois dormir.

As duas dirigiram-se para o quarto, abraçadas, e Alberto ficou sozinho na sala. Pouco tempo depois, sentiu suas dores aliviarem, embora sua aparência continuasse a mesma do dia em que morrera. Caminhou para a cozinha. Tinha muita fome. Ao entrar na cozinha, sentiu uma sensação estranha. Era como se alguém o estivesse seguindo. Voltou até a sala, verificou se a porta estava trancada, olhou atrás das cortinas, mas não viu ninguém.

– *É esquisito* – disse para si mesmo. – *Sou o único morto nesta casa, mas seria capaz de jurar que estou sendo seguido...*

Retornou à cozinha e começou a procurar algo que pudesse comer, mas não havia nada sobre a mesa. Sua fome era tanta que ele seria capaz de comer até pó de café. Buscou com os olhos a lata em que Lenita guardava o pó de café. Estava na prateleira em cima da pia. Esticou o braço, tocou a lata, mas não conseguiu tirá-la do lugar. Depois de várias tentativas sem sucesso, ficou irritado e desistiu. A fome, porém, não passara. O que fazer? Lembrou-se então de Xantipa, aspirando o aroma dos copos de cerveja, e decidiu fazer o mesmo com um copo de leite. Mas onde estaria o leite?

– *Na geladeira, onde mais?* – respondeu a si mesmo.

Para ele, porém, abrir a geladeira era tão difícil quanto tentar tirar a lata de pó de café do lugar. Tentou uma vez. Nada. Tentou de novo. Nada.

– *Não é possível que eu tenha me tornado um fracote!* – disse, já bastante irritado, e tentou de novo, usando toda a sua força.

Alberto fez tanta força para tentar abrir a geladeira que começou a sentir novamente as dores no peito. Ainda assim, continuou tentando, até cair no chão de tanta dor.

– *Arrr....* – esbravejava ele, sentindo falta de ar. – *Não é possível... Arrr.... E já morri... Arrr... Não posso ter um enfarto de novo... Arrr... Alguém me ajude....*

Neste momento, tia Geninha se fez visível. Seu aspecto iluminado contrastava com a aparência de Alberto. Debruçou-se sobre ele e colocou a mão direita sobre seu peito, dirigindo-lhe raios de intensa luz.

– *Procure ficar calmo... Isso vai alimentá-lo por algum tempo* – disse ela.

– *Quem é a senhora?*

– *Sou Geninha, a guardiã desta casa. Não me reconhece mais?*

– *Tia Geninha!* – exclamou Alberto, surpreso. – *Então era a senhora que estava me seguindo? Mas por que eu não a vi antes?*

– *Os espíritos só enxergam aqueles que estão vibrando na mesma sintonia. Como nosso padrão vibratório é diferente, você passou por mim e não me viu, embora tenha sentido a minha presença* – explicou ela.

– *E como é que agora eu estou vendo?* – quis saber Alberto.

– *Muito simples. Quando você passou mal e pediu ajuda, eu alterei meu padrão vibratório para poder socorrê-lo.*

– *E eu vou continuar sentindo essas malditas dores pelo resto da minha vida, quer dizer, pelo resto da minha mor...*

– *Você continua vivo* – esclareceu Geninha. – *Apenas não habita mais um corpo de carne.*

– *Mas então como é que eu sinto dores?* – protestou Alberto.

– *Porque em espírito conservamos todas as impressões de nosso corpo de carne, as quais se farão mais fortes quanto maior for seu apego à matéria.*

– Por isso senti dores na hora em que Lenita e Juliana se lembraram de minha morte? – tornou Alberto, interessado.

– Exatamente. No momento, mesmo desligado do corpo material, você ainda se ressente das dores e impressões do momento do enfarto. Precisa de tratamento e repouso. Por isso, deve voltar o quanto antes para o hospital. Somente lá terá condições de receber os cuidados necessários e libertar-se dessas sensações. Por sinal, minha amiga Amaziles não foi visitá-lo quando estava lá? – perguntou Geninha.

– Então era verdade... E eu que pensei que ela era louca varrida... – lembrou-se Alberto, retomando, logo em seguida, seu tom transtornado. *– Mas não adianta! Para lá eu não volto! De jeito nenhum! Meu lugar é aqui, junto de minha mulher e de meus filhos.*

– Você é quem sabe – ponderou Geninha. – *Só espero que tenha noção do quanto está prejudicando sua família por estar aqui.*

– Eu os amo! – refutou Alberto. *– Jamais os prejudicaria.*

– Mas já está prejudicando. Não viu como todos ficaram deprimidos por sua causa? – continuou Geninha.

– A senhora está inventando tudo isso só para me convencer a voltar para aquele hospício – disse Alberto, levantando-se.

– Eu não estou inventando; você viu, Alberto!

– Só porque elas estavam chorando? A senhora acha, então, que a gente morre, a família esquece e pronto? Não é bem assim, não. Elas também sentem a minha falta.

– Claro que sentem – concordou Geninha. *– Mas não podem ficar chorando o tempo todo por sua causa. Você mesmo não sentiu dores quando Juliana e Lenita começaram a se lembrar de sua morte física?*

Alberto concordou com a cabeça, e Geninha continuou:

– Se vocês permanecerem ligados dessa maneira, só irão se prejudicar. Lenita não conseguirá mais trabalhar, Juliana não vai continuar seus estudos, Felipe não terá quem cuide dele.

– *Desde quando Lenita trabalha? E por que a senhora pode ficar aqui e eu não?* – quis saber Alberto.

– *A situação é muito diferente. Eu estou aqui como enviada do plano espiritual para proteger Lenita e as crianças. E me preparei muitos anos para isso e...*

– *Pois então eu também vou me preparar* – cortou Alberto.

– *Assim é que se fala, Alberto* – animou-se Geninha. – *Vamos voltar ao hospital e...*

– *Nada disso* – interferiu Alberto. – *Antes de fazer essa preparação que a senhora está querendo, eu preciso acertar contas com uma certa pessoa.*

– *Mas, meu filho...* – tentou argumentar Geninha.

– *Ele é um traidor, tia Geninha. Eu vi o jeito que ele estava olhando para a Lenita hoje no restaurante. Eu tenho que afastá-lo do convívio da minha família o quanto antes.*

– *Não é verdade, o João Vítor...*

Alberto não esperou tia Geninha acabar de falar. Concentrou-se firmemente na figura de João Vítor, conforme havia aprendido com Laerte no jardim do hospital, e desapareceu numa fração de segundos.

Capítulo 13

Foi muito fácil para Alberto conseguir chegar até João Vítor, que também pensava nele naquele momento. Assim, num piscar de olhos, Alberto se viu estatelado (ele ainda não estava muito hábil no "manejo" daquele poderoso meio de transporte que recentemente descobrira) em frente ao amigo. Ou inimigo, como ele agora se referia a João Vítor.

Sentado em sua cama, João Vítor fazia rodar o gelo dentro de um copo. Não costumava beber, mas naquele dia, ao voltar para o hotel, sentira uma vontade irresistível de experimentar a bebida disponível sobre o frigobar.

Olhava agora fixamente para o telefone, inconformado com a atitude de Lenita. Ele sabia que ela estivera em casa o dia inteiro, e só não atendera o telefone para não falar com ele. "O que teria feito de errado?", torturava-se pensando. "E como explicar a estranha atitude de Felipe?" Em seu íntimo, algo lhe dizia que Alberto estava, de alguma maneira, por trás de todos aqueles acontecimentos. "Mas como?". Lembrava-se então do emprego na firma, do quanto o senhor Ferraz fora injusto com o amigo e do quanto odiava aquele velho. "Devia haver alguma forma de vingança", conjecturava, tomando mais um gole.

Alberto levantou-se, ainda desnorteado com a queda, e deu com Xantipa a seu lado.

– *E aí, camarada? Estava só esperando você chegar para seguir meu rumo. Eu tinha certeza de que você viria* – disse ele.

– *Como sabia que eu viria?* – perguntou Alberto, desconfiado.

– *É elementar, camarada. O marido traído sempre acha que a culpa é do amante da mulher.*

– *Escute aqui* – irritou-se Alberto –, *eu não lhe dei o direito de...*

– *Fica frio, camarada. Eu só estou aqui para ajudar. Também já fui traído e adoro esse tipo de vingança.*

– *E o que você acha que nós podemos fazer para...* – tentou saber Alberto.

– *Já levantei a ficha completa desse seu amigo da onça. Ele está realmente apaixonado pela sua mulher, embora ainda não tenha se dado conta disso* – explicou Xantipa.

– *Mas como não se deu conta se...*

– *Você está muito ansioso, camarada. Deixe-me explicar que você entende* – interferiu Xantipa. – *O caso é o seguinte. Pelo que eu pude captar dos pensamentos dele, o infeliz só se aproximou da família com a intenção de ajudar. Mas, depois, sabe como é que é, sua mulher é bonita, novinha, viúva...*

Ouvindo isso, Alberto se enervou e partiu para cima de Xantipa:

– *Descarado, miserável, eu...*

Xantipa, porém, o segurou com firmeza e olhou tão profundamente em seus olhos que Alberto sentiu medo. Depois, enfiou o dedo no nariz de Alberto, dizendo:

– Se você não quer me ouvir, azar o seu! Devia era agradecer por ter encontrado no seu caminho alguém gente fina assim como eu. É perigoso ficar andando sozinho por aí nesse seu estado. Você tem noção? Sabe se virar? Sabe se vingar de quem pisou na bola? Se sabe, um abraço, estou indo! Depois não diga que eu não avisei!

Alberto sentiu um calafrio na espinha e resolveu chamá-lo de volta:

– Espera aí, me desculpe. É que eu fiquei nervoso quando você falou da Lenita daquele jeito...

– Está vendo só? Você não sabe nada de nada, meu camarada. A primeira lição que você tem que aprender é não deixar o emocional falar mais alto que você. É pelo emocional que eles pegam a gente.

– Eles quem? – quis saber Alberto.

– Existem milhares espalhados por aí. Tanto do bem quanto do mal. Eu, se fosse você, passava a tomar mais cuidado – aconselhou Xantipa. *– Mas vamos ao que interessa que eu tenho mais o que fazer. O cara está se doendo todo de culpa porque está interessado na sua mulher e, mais ainda, porque ficou com seu emprego, é mole?*

– Meu emprego? Mas ele trabalha em São Paulo!

– Trabalhava, meu camarada, trabalhava. Agora ele está com tudo que era teu. Mais um pouco e fica com a sua mulher e seus filhos também. Tu vai deixar isso barato?

– Não é possível, eu... ai... o coração!

– Já avisei. Se deixar o emocional se meter, você se dana – reiterou Xantipa. *– Não pensa na dor, pensa no ódio que você está sentindo agora desse cara. Ele roubou a sua vaga! Você tem que tirar ele de lá!*

– E como é que eu vou fazer isso? – perguntou Alberto.

– Muito simples. Cola nele. Atrapalha a vida dele o máximo que você puder. O cara tem mediunidade, capta os pensamentos da gente molinho, molinho. Daí é só você sugerir, que ele faz.

– *Mas eu nem sei o que é mediunidade...* – replicou Alberto.

– *Ah, é uma capacidade que o cara tem de se sintonizar com o pensamento dos espíritos, de funcionar como intermediário entre os do lado de cá e os que ainda continuam na Terra.*

– *Intermediário?* – estranhou Alberto.

– *O teu filho, por exemplo, é um médium de primeira. Até escutar, escuta! Mas, como ainda é criança, anda sempre com proteção espiritual. Mesmo assim você conseguiu que ele fizesse tudo o que você queria no restaurante, não conseguiu?* – lembrou Xantipa, com sua displicência habitual.

– *É verdade, o Felipe sempre teve uma sensibilidade fora do comum...*

– *Pois então. Esse cara também tem. E ainda tem a vantagem de estar deprimido e cheio de ódio pelo tal chefe lá de onde você trabalhava, o que facilita bastante a nossa aproximação...*

– *Como assim?* – quis saber Alberto.

– *Para você poder colar num encarnado* – explicou Xantipa –, *ele tem que ter um ponto fraco, um elo que estabeleça a sintonia, senão fica difícil. Só podemos nos apegar àqueles que, de alguma maneira, compartilhem de pensamentos semelhantes aos nossos, entendeu agora?*

– *É... Faz sentido... Acho que estou começando a entender* – raciocinou Alberto, lembrando-se do que já ouvira de Laerte e de tia Geninha.

– *Vamos fazer uma coisa? Para lá do lado dele e se concentra no pensamento dele, que eu vou te ensinar como é que se faz* – propôs Xantipa.

Os dois então se aproximaram de João Vítor, que se servia de mais uma dose de bebida, e ficaram prestando atenção nos seus pensamentos. Antes, é claro, Xantipa deu uma boa aspirada no copo e, desta vez, foi acompanhado por Alberto.

"Não, eu não posso estar sentindo nada pela Lenita. Eu não tenho esse direito... Porém ela é tão frágil, tão indefesa... Precisa de alguém que cuide dela...", imaginava João Vítor.

– *Crápula, miserável...* – deixou escapar Alberto.

– Eu sou mesmo um crápula miserável – repetiu alto João Vítor. – Como é que eu posso pensar essas coisas da mulher do meu melhor amigo... Que droga de homem que eu sou... Devia era ter morrido no lugar dele...

– *Coloca mais bebida nesse copo* – sugeriu Xantipa, no que foi prontamente obedecido por João Vítor.

– *Está vendo só* – disse Xantipa, depois de mais uma aspirada na bebida –, *é muito fácil. Principalmente no caso de um cara transtornado assim, feito esse seu amigo. É só mandar que ele obedece.*

Dizendo isso, Xantipa despediu-se, explicando que precisava resolver alguns assuntos pessoais e que, no dia seguinte, estaria de volta, àquela mesma hora. Alberto agradeceu pela ajuda, depois se deitou na cama e continuou a ouvir os pensamentos de João Vítor. De certa forma, até que estava achando divertida aquela "brincadeira".

O álcool fazia com que João Vítor liberasse ainda mais seus pensamentos. Pensava agora nos problemas que teria que resolver na empresa, no dia seguinte, na dificuldade que era lidar com o doutor Fernandez, de quem, definitivamente, ele não conseguia gostar. Alberto aproveitou para transferir-lhe conselhos errados, recomendando, por exemplo, que ele não tivesse paciência alguma com o presidente.

– *Você precisa se impor* – sussurrou ao ouvido de João Vítor. – *Quem é esse cara para mandar em você? Quando ele vier te dizer o que fazer, dá um passa-fora nele, mostre que você entende de tudo muito mais do que ele!*

João Vítor captou a mensagem e decidiu fazer exatamente o que Alberto lhe sugerira.

Em seguida, porém, lembrou-se do problema de Juliana. Sabia que Selene era teimosa e persistente quando cismava com alguma coisa, seria capaz de tudo para tirar a guarda de Lenita. Ao mesmo tempo, porém, reconhecia que as duas eram mãe e filha, e que precisavam algum dia se reconciliar de alguma maneira.

"Talvez", considerou ele, "se Juliana, com aquela cabecinha maravilhosa que ela tem, passasse algum tempo na companhia de Selene, a mãe até pudesse se tornar uma pessoa mais equilibrada..." No fundo, João Vítor não conseguia conceber a ideia de que Selene não gostasse da filha nem um pouquinho. Acreditava que, ao deixar aflorar seu instinto maternal, Selene poderia até se transformar numa grande mãe, na mãe que Juliana sempre sonhara ter.

"Mas... e Lenita?", inquietava-se ele, "Lenita jamais aceitaria a ideia de se separar de Juliana." Podia até ficar com raiva dele se ele lhe dissesse o que pensava do assunto. Ouvindo isso, Alberto teve um estalo. Já sabia exatamente como fazer para acabar de vez com aquela perigosa amizade entre Lenita e João Vítor. Se tudo corresse conforme ele imaginava, Juliana seria um pouco sacrificada, mas o resultado final seria bastante compensador. Lenita, Felipe e Juliana odiariam João Vítor para sempre. Depois que João Vítor fosse definitivamente afastado da família, ele então daria um jeito de fazer tudo voltar a ser como era antes.

Assim, sentindo-se todo-poderoso, quase onipotente em sua condição de espírito, Alberto adormeceu satisfeito ao lado de João Vítor, louco para que logo amanhecesse um novo dia, quando começaria a pôr em prática todos os seus planos de vingança. Xantipa certamente se orgulharia dele quando soubesse.

Capítulo 14

Naquela noite, Lenita voltou a sonhar com tia Geninha, novamente era um sonho que mais parecia realidade. Sempre fixada nas preocupações de seu dia a dia, nem percebeu quando seu corpo físico adormeceu e, em espírito, levantou-se da cama. Foi até a sala buscar o retrato de Alberto que esquecera sobre a poltrona e acabou encontrando a tia sentada no sofá. Ao contrário do que seria imaginado, Lenita, contudo, não se assustou. As duas abraçaram-se longamente e logo se puseram a conversar.

– *Eu precisava muito falar com você, Lenita* – disse tia Geninha, acomodando-se novamente no sofá.

– A senhora aceita um chá? – perguntou Lenita?

– *Não, querida, obrigada. O que eu queria mesmo era conversar com você sobre o João Vítor.*

– Sobre o João Vítor, titia? Mas...

– *Não tente me enganar, Lenita. Eu sei de tudo o que está se passando no seu coraçãozinho e não vim aqui para te censurar, muito pelo contrário.*

– Não estou entendendo onde a senhora quer chegar, titia.

– Lenita, querida, não temos muito tempo, você precisa me ouvir. João Vítor corre sério perigo, você precisa ajudá-lo.

– Perigo? Não consigo entender o que a senhora está querendo me dizer...

– Telefone para ele amanhã bem cedo e o aconselhe a não dizer nenhum desaforo a seu chefe.

– Mas a troco de que eu vou dizer isso a ele, tia Geninha?

– Faça o que estou dizendo, depois você vai entender. Use de todo o seu poder feminino para convencê-lo. Depois, procure dona Catarina e conte a ela tudo o que aconteceu na tarde de ontem.

– Assim a senhora me confunde, tia Geninha. Por que eu iria procurar a dona Catarina e me expor dessa maneira?

– Confie em dona Catarina, Lenita. Ela pode ajudá-la. Agora preciso ir.

– Mas, titia, e se eu não me lembrar de tudo isso amanhã, quando eu acordar?

– Você vai lembrar. E trate de se cuidar, ouviu bem? Não quero mais vê-la chorando pelos cantos, agarrada nesse retrato do Alberto.

Dizendo isso, tia Geninha beijou Lenita na testa, depois se aproximou da janela e se transformou numa intensa luz dourada, que desapareceu em seguida.

De fato, ao acordar naquele dia, Lenita recordava-se de quase todos os detalhes do sonho. A bem da verdade, era a primeira vez que ela se lembrava de um sonho tão nitidamente. Exatamente como acontecera no sonho, porém, não conseguia entender o porquê das recomendações feitas pela tia. Ainda assim, uma frase não lhe saía da cabeça: "*João Vítor corre sério perigo, você precisa ajudá-lo.*"

Como que impelida por uma força mágica, Lenita foi até a sala e sentou-se ao lado do telefone. As palavras de tia Geninha vinham-lhe à mente como uma gravação: "*Telefone para ele e o aconselhe a não dizer nenhum desaforo a seu chefe. Use de todo o seu poder feminino para convencê-lo.*"

Lenita tirou o aparelho do gancho, mas logo o colocou de volta, lembrando-se das tantas vezes em que o telefone havia tocado no dia anterior. Ela sabia que em todas aquelas vezes era João Vítor quem estava do outro lado da linha.

– Eu tinha certeza – ela constatou, verificando as ligações não atendidas no celular.

Ficou um tempo com o dedo pronto a discar, ainda hesitante. Lembrou-se então de seu ridículo papel no restaurante e sentiu-se envergonhada. "Pobre João Vítor", pensou, recolocando o telefone na bolsa. "E com que cara eu vou ligar para ele agora?" A frase de tia Geninha, porém, ecoou ainda mais forte em sua cabeça: "*João Vítor corre sério perigo, você precisa ajudá-lo*". Pegou novamente o telefone da sala, dizendo em voz alta:

– Eu preciso ligar. Nem que seja apenas para pedir desculpas...

João Vítor terminava de se vestir quando o telefone tocou. Alberto estava ao lado da mesa do café da manhã, tentando sugar o odor de um copo de suco de laranja. Ambos estremeceram ao ouvir o primeiro toque. João Vítor correu a atender:

– Alô, Lenita? Que bom que você ligou, eu estava realmente preocupado com você... Não, eu não fiquei chateado... Claro que não...

Alberto correu para o lado dele e segurou-o pelo pescoço:

– Miserável... desliga esse telefone!

João Vítor sentiu um pouco de mal-estar e teve ímpetos de abreviar a conversa para desligar o telefone. A vontade de falar com Lenita, porém, foi mais forte, e ele resistiu à sugestão de

Alberto. Percebendo que seria impossível convencer João Vítor a cortar a conversa com Lenita, Alberto então resolveu mudar de tática:

– Você está atrasado, olhe o relógio. Lembre-se de que precisa dizer algumas verdades ao presidente ainda hoje.

Registrando-lhe a sugestão, João Vítor olhou para o relógio e viu que realmente estava em cima da hora:

– Escute, Lenita, gostei muito de falar com você, mas preciso desligar agora. Tenho um assunto muito importante a resolver no escritório.

Do outro lado da linha, Lenita lembrou-se mais uma vez da recomendação que recebera da tia e resolveu "jogar verde para colher maduro":

– Aconteceu algum problema com o senhor Fernandez?

– Mais ou menos – respondeu João Vítor. – Resolvi dizer-lhe algumas verdades...

Ouvindo isso, Lenita associou imediatamente os fatos e chegou a ficar arrepiada. Agora começava a entender a mensagem de tia Geninha. Pensando nisso, insistiu:

– Escute, João Vítor, eu preciso lhe pedir uma coisa. Tive um sonho muito estranho esta noite e acho que você não deve ter essa conversa hoje com o presidente.

No quarto de João Vítor, nervoso por não poder ouvir o que Lenita dizia, Alberto gritava no ouvido do amigo:

– Olha a hora! Olha a hora!

Mais uma vez, contudo, João Vítor resistiu a seus apelos, curioso com o pedido de Lenita:

– Mas que sonho foi esse?

– Não dá para te explicar agora, assim, por telefone. Mas, por favor, não brigue com seu chefe hoje. Depois, mais tarde, a gente conversa.

Agoniado, Alberto fez de tudo para conseguir ler o pensamento de João Vítor, chegou mesmo a colar sua testa na testa do amigo, mas, por alguma razão que desconhecia, naquele momento não conseguia captar uma palavra sequer.

– Bom, já que você está me pedindo... – concordou finalmente João Vítor, ao telefone.

– Promete? – insistiu Lenita.

– Prometo – disse ele. – Agora realmente preciso correr... Um beijo.

– Outro para você.

Lenita desligou o telefone e respirou fundo, aliviada. "Missão cumprida", pensou.

Dirigiu-se então à cozinha, onde encontrou Juliana e Felipe, que também tomavam seu café. Juliana já estava arrumada para a escola.

– Com quem você estava falando, mamãe? – quis saber Felipe.

– Com o tio João Vítor. Liguei para pedir desculpas por toda aquela confusão de ontem – disfarçou Lenita.

– Afinal de contas, será que dava para vocês me explicarem o que foi que aconteceu ontem de tão grave para eu chegar em casa e encontrar a Lenita naquele estado?

Felipe apressou-se em dar sua versão dos fatos:

– A gente foi no restaurante e...

– Não aconteceu nada demais – cortou Lenita. – Para dizer a verdade, não estou com vontade de conversar sobre isso agora. Juliana olhou para Lenita, um pouco magoada, depois deu de ombros e continuou a tomar seu café.

– E ontem, na casa da Selene, como é que foi? – perguntou Lenita mudando de assunto.

– Também não estou com vontade de conversar sobre isso agora – revidou Juliana, levantando-se da mesa.

Lenita foi atrás dela:

– Juliana, espere, eu não quis...

– Depois a gente conversa – tornou Juliana, ainda magoada. – Estou indo para a escola.

– Mas você me disse que hoje só tem aula de tarde – insistiu Lenita.

– Vou mais cedo para fazer trabalho de grupo. Beijos.

Juliana bateu a porta e Lenita ficou parada na entrada da cozinha. Não queria magoá-la. Lembrou-se então de mais uma frase do sonho: "*Procure dona Catarina e conte a ela tudo o que aconteceu na tarde de ontem*". "Não", pensou, definitivamente, isso ela não iria fazer. Olhou para a pilha de folhas que a esperava sobre a mesa da sala e sentou-se para trabalhar.

Capítulo 15

Alberto não conseguia entender. O que estaria acontecendo? Não só se sentia impedido de ler os pensamentos de João Vítor, como, sem querer, se deixava "contaminar" pelo seu bom humor. João Vítor andava pelas ruas sorridente, cumprimentando a todos que por ele passavam. A seu lado, embora não pudesse ler seus pensamentos, Alberto sentia que o amigo desejava coisas boas a cada pessoa com quem se deparava em seu caminho, e a força desta vibração positiva sincera e constante aos poucos começava a lhe causar certa comoção, um sentimento estranho lá no fundo da alma, que era quase como um arrependimento por ter desejado tão mal ao antigo amigo no dia anterior.

Sentado ao lado de João Vítor, agora dentro de um vagão do metrô, Alberto tentava concentrar-se nas razões que haviam despertado seu ódio por ele: no emprego roubado, nas mãos do "traidor" segurando as mãos de Lenita no restaurante, na segurança que Felipe sentia ao lado do tio.

Por mais que se esforçasse, no entanto, seus pensamentos teimavam em tomar uma direção oposta à que ele desejava.

Vinham-lhe à mente lembranças dos dois brincando juntos quando crianças; da sensação de alívio que experimentava sempre que desabafava com João Vítor ao telefone, nos tempos em que o amigo ainda trabalhava em São Paulo; do apoio que este lhe dera por ocasião do nascimento de Juliana.

Alberto já estava quase se entregando àquela emoção, quando, de repente, voltou a ouvir os pensamentos de João Vítor, que naquele momento começara a compartilhar suas mesmas recordações. De novo funcionava o tal processo de sintonia mencionado por Xantipa. Das lembranças do companheirismo entre os dois, João Vítor logo passou à culpa e à depressão, questionando-se duramente pelo carinho que sentia crescer em seu coração por Lenita, pela vontade enorme de assumir a paternidade de Felipe e Juliana. Quando pensava sobre isso, sentia-se efetivamente um traidor, como se estivesse querendo para si algo que por lei pertencesse ao amigo, de quem guardava tantas saudades. Tinha até vontade de acabar com a própria vida, de tanta raiva que sentia de si próprio.

Bastou João Vítor começar a pensar assim para que sua fisionomia se alterasse, dando lugar a uma profunda tristeza. O brilho que há poucos minutos resplandecia de sua figura tornou-se opaco. Enquanto isso, Alberto, a seu lado, também modificava seus pensamentos, recobrando rapidamente o ódio pelo amigo.

Assim afinizados, os dois saíram da estação do metrô, cruzaram a rua em que Alberto fora atropelado e entraram no escritório. Alberto fez o impossível para controlar sua emoção de estar ali, agarrando-se como um náufrago ao sentimento de culpa de João Vítor. Quando cruzaram a entrada da sala de dona Catarina, porém, não pôde resistir e ordenou ao amigo:

– *Peça um café!*

Estranhando a súbita vontade que lhe invadira, João Vítor abriu a porta, cumprimentou dona Catarina e fez o pedido:

– Dona Catarina, de repente me deu uma vontade de tomar um café... Será que a senhora não poderia me arranjar uma xicrinha?

Ouvindo isso, dona Catarina automaticamente se lembrou de Alberto, que dizia as mesmas palavras todas as manhãs quando trabalhava lá. Ela sentiu um arrepio gelado na espinha, intuindo que algo de errado estava acontecendo com João Vítor.

– É engraçado – observou, enquanto enchia a xícara –, em quase três meses que você trabalha aqui, é a primeira vez que o vejo pedir um café.

– *Ah...* – suspirou Alberto, sentindo-se como que sugado pelas pequenas gotas de café que pulavam enquanto dona Catarina derramava o líquido na xícara. – *O que seria da humanidade se não fosse o café...*

No mesmo instante, dona Catarina lembrou-se da costumeira frase de Alberto, e João Vítor a repetiu em voz alta, enquanto Alberto aspirava profundamente o vapor que agora saía da xícara. Dona Catarina sentiu outro arrepio gelado:

– João Vítor... – disse ela, pálida – por que você disse isso?

– Sei lá – respondeu ele. – Veio na minha cabeça. Por quê?

– Nada não – disse dona Catarina, cada vez mais desconfiada.

João Vítor experimentou o café e não pôde deixar de comentar:

– Que coisa estranha. Esse seu café estava tão cheiroso, mas não está nada saboroso... Quer dizer... – ele não queria ser indelicado.

– Vai ver é porque já tem muitas horas que está guardado na garrafa. Se quiser, quando chegar o novo, posso levar na sala para você – respondeu ela, prestativa.

– Não precisa – tornou João Vítor, terminando a xícara –, eu realmente não gosto muito de café. Só tomei este porque senti muita vontade.

– Mudando de assunto – continuou dona Catarina –, você soube que a Juliana, ontem, conheceu meu filho Paulo?

– Não, para dizer a verdade, eu nem sabia que a senhora tinha filhos...

– Pois tenho quatro, o Paulo é temporão. É um menino muito bom, o único que ainda mora comigo. Eles se conheceram na casa de Selene – explicou dona Catarina.

– É verdade, eu deixei Juliana lá ontem... – comentou ele.

– Pois é, nós moramos no mesmo prédio. Acho que o Paulo se apaixonou pela Juliana – confidenciou ela. – Não fala em outra coisa desde que chegou em casa!

– *Mas Juliana ainda é muito nova para namorar!* – protestou Alberto, que prestava atenção à conversa dos dois.

Mais uma vez, João Vítor captou seus pensamentos e repetiu a mesma frase. Dona Catarina ficou sem graça:

– Eu sei, só falei porque...

– Bom, preciso trabalhar – cortou João Vítor, influenciado pela irritação de Alberto. – Assim que o senhor Fernandez chegar, a senhora entregue a ele estes relatórios e me avise em seguida.

Dona Catarina concordou e João Vítor saiu da sala, seguido por Alberto. Ela ficou preocupada, achou João Vítor muito diferente do habitual. Suas palavras, seus ciúmes de Juliana, tudo lembrava Alberto. Alguma coisa naquela história não estava bem. Tirou da gaveta um exemplar de *O Evangelho Segundo o Espiritismo*, que sempre carregava consigo, e o abriu ao acaso.

"Os sãos não têm necessidade de médico"[1] era o título da página que então se mostrou. Explicava, entre outras coisas, que a mediunidade não implica necessariamente em relações habituais com os espíritos superiores. Trata-se de um dom concedido por Deus, uma aptidão, um instrumento, que pode ser modulado conforme as necessidades dos espíritos, e, sobretudo, de acordo com as possibilidades de sintonia que oferece aquele que possui tal capacidade, a partir de seus próprios sentimentos, pensamentos e comportamentos de maneira geral. "O bom médium não é, portanto, aquele que se comunica facilmente, mas aquele que é simpático aos bons espíritos, e que só deles recebe assistência", complementava o texto.

Dona Catarina, que há muito já desconfiava da mediunidade de João Vítor, entendeu a mensagem e compreendeu que era chegada a hora de encaminhá-lo na senda do Espiritismo. Fez então uma sentida prece, pedindo a Deus proteção para realização de seu intento e auxílio espiritual, tanto para João Vítor quanto para Alberto.

Não obstante, durante a tarde inteira, os pensamentos de João Vítor e Alberto duelaram entre si. A todo instante, Alberto sugeria ao amigo que ele era bom demais para aquela empresa, que o senhor Fernandez estava exigindo muito de seu trabalho, que o presidente jamais acataria sua avaliação sobre as pesquisas, que ele, enfim, estava sendo feito de palhaço naquela empresa. Fortalecido,

---

1. Designa-se como "são" não apenas aquele que goza de boa saúde física, e sim o que dispõe também de saúde espiritual, ou seja, que apresenta o equilíbrio entre as duas naturezas. Jesus veio justamente ao auxílio dos filhos que desprovidos desse equilíbrio. A mediunidade é uma condição inerente, portanto, uma faculdade dada qualquer pessoa sem distinção e pode ser usada com liberdade, mas será punido aquele que empregá-la mal.

porém, pela oração de dona Catarina, João Vítor esforçava-se para não dar atenção àqueles pensamentos que julgava serem seus. Lembrava-se do conselho de Lenita e pedia forças a Deus para não cometer nenhuma bobagem da qual viesse a se arrepender depois.

No fim da tarde, quando o presidente afinal mandou chamá-lo em seu gabinete, tanto João Vítor quanto Alberto estavam exaustos. Ainda assim, Alberto mantinha-se firme em seu desejo de provocar a demissão do amigo. Para sua surpresa, porém, o senhor Fernão Fernandez Ferraz estava surpreendentemente bem-humorado naquele dia e tratou João Vítor com inesperada distinção:

– Antes de mais nada – disse ele –, gostaria de pedir desculpas pela demora e dizer que estou muito satisfeito com o seu trabalho. Passei o dia reunido com um de nossos clientes, o senhor Dagoberto de Almeida Mattos Sanchez, dono da emissora que nos encomendou as pesquisas. Ele se mostrou entusiasmadíssimo com as suas sugestões.

Boquiaberto com os elogios inesperados, João Vítor deixou-se cair na poltrona, procurando o que dizer. Alberto também estava pasmo. Antes que algum deles conseguisse manifestar-se, o senhor Fernandez continuou:

– O senhor tem carta branca para começar a organizar, amanhã mesmo, se for possível, o grupo de telespectadores modelo que participarão das pesquisas de audiência específica. O senhor Dagoberto anda preocupado com a queda dos índices de audiência da novela "A Rejeitada" e quer saber, o quanto antes, o que o grupo de telespectadores preconizado pelo senhor pensa a respeito da trama, para que os autores possam fazer as necessárias modificações.

– *Mas essa ideia é minha!* – protestou Alberto, sem que os dois pudessem ouvi-lo.

Alberto estava arrasado. A ideia das pesquisas qualitativas de audiência era, de fato, um antigo projeto seu, o qual discutira inúmeras vezes com João Vítor. Mas ele tinha a certeza de que o amigo jamais diria isso ao presidente. Contrariando as suas expectativas, porém, João Vítor pressentiu seus pensamentos e fez questão de dizer ao chefe:

– Senhor Fernandez, fico-lhe imensamente grato pelos elogios, mas gostaria de esclarecer que o verdadeiro autor deste projeto foi o Alberto; por sinal, meu grande amigo. Eu apenas coloquei no papel aquilo que nós vínhamos discutindo há alguns meses em nossos encontros e telefonemas. Mais do que ninguém, ele tinha a certeza de que este novo método revolucionaria o conceito das pesquisas de opinião pública.

Ouvindo isso, Alberto não teve alternativa senão encolher-se na poltrona, envergonhado. Para enaltecer sua imagem, João Vítor sequer mencionara o fato de que também contribuíra muito para o projeto com sua experiência na antiga empresa onde trabalhava. O senhor Fernandez também mostrou-se profundamente sensibilizado com a atitude de João Vítor:

– Sua franqueza me faz admirá-lo ainda mais, senhor João Vítor. Poucas pessoas teriam essa atitude. Devo admitir, porém, que jamais valorizei devidamente a competência do senhor Alberto e que talvez tenha cometido uma terrível injustiça por isso. Na verdade, para ser sincero, eu nunca consegui confiar em Alberto como confio no senhor. Ele sempre me despertou desconfianças, não sei dizer por quê. Enfim, águas passadas não movem moinhos. Tenho certeza de que, mesmo não tendo sido o autor do projeto, o senhor poderá levá-lo avante com o máximo de competência.

Quando João Vítor e Alberto deixaram a sala do senhor Fernandez, suas visões sobre o presidente haviam se invertido.

Satisfeito por ter conseguido com que o chefe reconhecesse, de alguma maneira, o talento e a dignidade do amigo, João Vítor começava a enxergá-lo como uma pessoa menos prepotente, que talvez até nem fosse tão ruim quanto ele imaginava. Naquele momento, sentia mesmo certa ternura pelo senhor Fernandez, como se entendesse as razões mais íntimas de seu jeito de ser.

Alberto, por sua vez, mesmo sem saber que o presidente jamais cogitara em lhe dar o cargo agora ocupado por João Vítor, começava a perceber que o senhor Fernandez jamais o havia admirado, como ele por tanto tempo acreditara, e o odiava por haver elogiado com tanta ênfase a competência de um novato na empresa como João Vítor. E ainda mais por permitir que o outro continuasse um projeto que era seu por direito. Transtornado por essas ideias, ordenou a João Vítor que pedisse outro café a dona Catarina, no que foi prontamente atendido.

Cada vez mais desconfiada da súbita mudança de hábitos de João Vítor, dona Catarina aproveitou a deixa para fazer-lhe um convite, enquanto servia o café:

– Que bom que você se entendeu com o senhor Fernandez, João Vítor. Mas ainda estou te achando tenso... Até café você está tomando! Escute, toda semana eu costumo ir a uma casa de orações, um lugar onde as pessoas sentem revitalizadas as suas energias e limpam de suas mentes todas as tensões e ansiedades. Você não gostaria de...

– Uma casa de orações? – interrompeu João Vítor, curioso, deixando de lado o café para ser "saboreado" por Alberto.

– Na verdade é um centro espírita que se chama Casa de Orações Maria de Nazaré. Você já ouviu falar da doutrina espírita codificada por Allan Kardec, que fala sobre a continuidade da vida no plano espiritual? – perguntou dona Catarina.

Imediatamente, João Vítor pensou em Alberto, que não tardou a dar sua opinião sobre o assunto, lembrando-se do alerta que recebera de Xantipa:

– *Tudo isso é bobagem. Não se deixe envolver por superstições ou vai acabar arrumando "sarna para se coçar"!*

Captando-lhe as sugestões, João Vítor respondeu:

– Não acredito muito nessas coisas.

– Pois devia acreditar – tornou dona Catarina. – A maioria das pessoas acha que a vida acaba no momento em que morre o corpo de carne. Mas isso não é verdade. A vida continua no plano espiritual, e, em espírito, aqueles que se foram podem interferir, e muito, na vida daqueles que ficaram. Sobretudo na vida daqueles que lhes são muito ligados.

– E por que a senhora está me dizendo tudo isso? – perguntou João Vítor, desconfiado.

– *Não dê confiança para as sandices de dona Catarina. Ela sempre teve mania de querer levar todo mundo para esse centro espírita que ela frequenta. O pessoal desse centro não sabe de nada e a prova maior disso* é que estou aqui, fazendo o que quero e bem entendo! – insistiu Alberto, intuindo que o tal centro pudesse ter alguma ligação com o hospital de onde fugira.

Iluminada, porém, por benfeitores invisíveis, dona Catarina deu uma resposta que calou fundo tanto em João Vítor quanto no descrente Alberto:

– Estou lhe dizendo isso porque acredito que Alberto está muito mais próximo de você do que imagina. E lhe digo mais: como não tinha nenhuma religião e era uma pessoa obstinada pelo trabalho, ele provavelmente deve estar sofrendo muito por não poder estar agora no seu lugar, acreditando que você esteja roubando-lhe algo que era seu por direito.

Desta vez, foi João Vítor quem sentiu um arrepio na espinha. Lembrou-se de tudo o que acontecera no restaurante no dia anterior e automaticamente associou os fatos. "Seria possível?", pensou consigo. Alberto, por sua vez, ficou pálido de susto, mas logo se recuperou e voltou-se contra dona Catarina:

– *Sua enxerida! Como é que pode saber de tudo isso?*

No momento em que ele tentou se aproximar dela, porém, deparou-se com uma forte luz, a qual circundava a secretária e funcionava como um escudo protetor que o repeliu de imediato.

– *É mentira!* – gritou Alberto, irritado, ao ouvido de João Vítor, sem se dar conta do inusitado de suas palavras. – *Tudo o que ela está dizendo é mentira!*

Dividido entre a sintonia elevada dos benfeitores espirituais ali presentes e o ódio do amigo, João Vítor sentiu a cabeça rodar e por pouco não incorporou o espírito Alberto, quase permitindo que este se manifestasse, mediunicamente, por seu intermédio. Percebendo a situação, dona Catarina o amparou, estendendo até ele sua luz protetora, e considerou:

– Eu não acho, João Vítor, tenho certeza do que estou lhe dizendo. Você não quer vir comigo a uma reunião amanhã à noite?

– Está bem... Eu vou pensar... – respondeu João Vítor desnorteado. – Eu vou pensar em tudo isso que a senhora me falou... – reiterou, antes de deixar a sala.

Capítulo 16

Quando soou o sinal do último tempo na escola, Juliana foi a primeira a deixar a sala. Ao longo de todo aquele dia, havia se sentido triste e solitária. Dirigiu-se, como de hábito, ao outro lado do pátio, onde ficava a sala de Felipe, mas, no meio do caminho, lembrou-se de que naquele dia ela saía mais tarde, visto que todas as segundas e sextas frequentava o curso de francês opcional oferecido pela escola. Nesses dias, era Lenita quem buscava Felipe.

Ao chegar à rua, porém, teve uma grata surpresa: Paulo a esperava, sentado num banco da pracinha que ficava em frente ao colégio. Ao vê-la, ele abriu um largo sorriso e acenou para ela, que correu ao seu encontro. Sem que ela entendesse o porquê, seu coração disparou e suas mãos começaram a suar tanto que, ao chegar diante dele, achou melhor esconder os braços atrás da mochila. Suas bochechas vermelhas, porém, denunciavam a agitação com que o sangue circulava por dentro dela. Paulo também estava ligeiramente corado quando disse:

– Estava passando por aqui e resolvi dar um tempo para ver se você... quer dizer, para saber se você...

Juliana percebeu seu constrangimento e resolveu ajudá-lo, embora também não soubesse direito o que dizer:

– Que bom que você veio! Estava mesmo pensando em... quer dizer, estava mesmo precisando conversar com alguém e...

– Que tal se a gente fosse tomar um sorvete? – propôs Paulo, encorajado pela timidez dela.

– Ótima ideia – respondeu Juliana, aliviada. – Tem uma sorveteria superlegal bem ali na esquina, você conhece?

– Tem um sorvete de chocolate com pedaços de laranja que... nossa, só de pensar me dá água na boca! – disse ele, enquanto pegava sobre o banco um pequeno pacote retangular e magrinho, embrulhado por um papel colorido, um pouco amassado.

– Sei qual é que você está falando – continuou Juliana, olhando curiosa para o pacote. – Também é o meu favorito!

Era a senha para que os dois retomassem a imensa série de identificações que haviam começado a descobrir no dia anterior.

Depois de muita conversa e muito sorvete, Paulo já se sentia à vontade para tocar no assunto que o trouxera até ali:

– Sabe, Juliana, fiquei muito preocupado com você, ontem... Acho que a sua mãe não deveria...

– Não se preocupe, não – disse Juliana, com os olhos baixos, lambendo seu sorvete. – Selene sempre foi assim. Acho que já estou até acostumada...

– É engraçado... Você quase nunca chama a Selene de mãe... – observou Paulo, jogando fora seu guardanapo.

– Vai ver é porque eu quase nunca me lembro de que ela é minha mãe... – confessou Juliana, oferecendo a ele um pedaço de sua casquinha.

– Você não quer falar sobre esse assunto? – perguntou Paulo, delicado, mordendo a casquinha.

– Não é isso. É que sempre que eu penso nela me dá uma angústia aqui no coração... – ela parecia se engasgar com o pedaço de casquinha que acabara de engolir.

– Você pode até não acreditar, mas todas as vezes em que eu vi a Selene falar de você, notei que ela também sentia uma dor como essa que você está dizendo... – comentou Paulo, pensativo.

– Agora você está parecendo até o tio João Vítor, meu padrinho. Ele vive dizendo que a Selene, no fundo, não é má, que eu devia aprender a gostar dela, porque, afinal de contas, ela é mãe. Mas você acha que ser mãe é só botar um filho no mundo e depois nem olhar mais para a cara dele? – desabafou Juliana, jogando fora o guardanapo e a pazinha.

– Também não é assim, né, Juliana? Ontem mesmo ela olhou um monte de vezes para você que eu vi... Depois, será que o seu tio não tem um pouco de razão em achar que...

– Você é tão ingênuo quanto o tio João Vítor, Paulo – cortou Juliana. – Será que vocês não percebem que ela só está interessada em mim agora porque acha que assim teria direito a metade da pensão do meu pai? Você não ouviu o que ela disse ontem, quando estava bêbada? Que todos os problemas dela iriam acabar quando eu fosse morar com ela?

– E será que essa história de pensão não é apenas uma desculpa para esconder uma coisa muito mais grave do que o problema financeiro da Selene? Será que ela, no fundo, não está querendo arranjar, com essa desculpa, um jeito de consertar tudo o que ela fez de errado no passado? Será que, ainda que inconscientemente, ela não viu na briga por esta pensão uma maneira de chegar mais perto de você, de assumir o papel da mãe que ela nunca foi para você? Já pensou nisso, Juliana? Afinal de contas, mal ou bem, ela sempre conseguiu se virar para arrumar o dinheiro que precisava... – analisou Paulo.

Os olhos de Juliana se encheram de lágrimas. No fundo, ela bem que gostaria que Paulo estivesse falando a verdade. Por mais que negasse, embora nem soubesse por que, ela sentia um carinho imenso por Selene. Às vezes até se achava parecida fisicamente com ela, que tinha os seus mesmos olhos azuis, e ficava imaginando se um dia ficaria tão bonita quanto a mãe. Percebendo que Juliana chorava, Paulo sentiu-se culpado e tentou consolá-la:

– Por favor – disse ele, oferecendo-lhe um guardanapo –, não fique assim... A última coisa que eu queria na vida era magoar você...

– Tudo bem – respondeu Juliana, limpando o rosto no guardanapo –, eu não estou chateada com você. É que esse assunto me machuca muito...

– Então não vamos mais falar sobre isso – contemporizou ele, enquanto pegava o embrulho sobre a cadeira. – Tome – estendeu-lhe – isto é para você.

Juliana sorriu, surpresa:

– Para mim?

– Espero que não repare. É um livro. Na verdade ele era meu e é um dos meus favoritos. Mas, quando você me falou que seu pai tinha morrido há pouco tempo, achei que ele seria mais útil para você agora... Só não sou muito bom em fazer embalagens de presente... – disse ele, justificando-se pelo papel amassado.

O livro era *Céu azul*,[2] de César Augusto Melero. Logo ao tomá-lo em suas mãos, Juliana ficou maravilhada com sua capa

---

2. O livro *Céu azul*, escrito por César Augusto Melero, autor espiritual, e psicografado por Célia Xavier Camargo, foi lançado pela editora Boa Nova, Catanduva, SP, 1997.

delicada, que mostrava uma rua limpa e arborizada, por onde caminhavam pessoas rodeadas por um halo de luz branca, sob um céu de intenso azul.

– Puxa, eu adoro ler! – foi tudo o que conseguiu dizer.

– Esse livro foi escrito por um rapaz que morreu aos dezenove anos, o César – explicou Paulo.

– Mas como ele pôde escrever um livro depois de morto? – assustou-se Juliana.

– Aí é que está! – destacou Paulo. – Lendo esse livro você vai entender que a vida não acaba quando a gente morre. O César nos conta como é o dia a dia dos espíritos, suas atividades, suas responsabilidades e mais um montão de coisas que acontecem lá no plano espiritual.

– Isso me lembra um sonho que tive com o meu pai um tempo atrás... Nossa, estou doida para ler! Por falar nisso, que horas são? – perguntou ela, lembrando-se de que Lenita e Felipe deveriam estar preocupados com sua demora.

– Sete e meia – respondeu Paulo.

– Meu Deus! – disse ela num pulo – Preciso correr para casa!

– Eu posso te acompanhar – ofereceu o rapaz.

– É melhor não – ponderou Juliana, já de saída. – Eu nunca cheguei ao prédio acompanhada de um garoto... quer dizer, de... – ia dizer de um homem, mas se deteve antes de concluir a frase – ah, sei lá, pode dar confusão!

– Que bobagem – respondeu Paulo, divertindo-se com a preocupação dela. – O máximo que os porteiros poderiam pensar é que...

– Além do mais – cortou ela, nervosa –, eu moro a dois quarteirões daqui. Se correr bastante, estou em casa em dez minutos.

Percebendo seu embaraço, Paulo achou melhor não insistir, para não deixá-la ainda mais constrangida.

– Então... amanhã a gente se fala? – ousou perguntar, já na porta da sorveteria.

– Amanhã! – respondeu Juliana correndo. – Eu te ligo...

Paulo ficou parado na porta da sorveteria, vendo Juliana sumir na virada do primeiro quarteirão. Só uma pergunta martelava-lhe a cabeça: "E como é que ela vai me ligar, meu Deus, se nem pegou o meu telefone?"

Capítulo 17

Ao sair do escritório, João Vítor sentiu uma vontade irresistível de procurar Selene. Há mais de uma semana havia dito a Juliana que o faria, mas o excesso de trabalho o vinha impedindo de cumprir o prometido. Naquele dia, porém, aliviado com o excelente resultado da reunião com o presidente da empresa, sentia que era chegado o momento de solucionar também aquele problema. Ainda mais se Alberto estivesse mesmo a seu lado, como dona Catarina dissera. Com certeza, o amigo devia estar também preocupado com a insegurança da filha.

– Meu Deus, o que estou pensando! – disse alto, para si mesmo, enquanto estacionava seu carro em frente ao edifício de Selene. – Imagine se o espírito do Alberto ia ficar andando atrás de mim de um lado para outro. Dona Catarina realmente não deve andar muito boa das ideias...

Sentado a seu lado, no banco do carona, Alberto não pôde evitar um risinho de prepotente satisfação. Conseguira colocar na cabeça de João Vítor que dona Catarina estava maluca, imaginava. "*Quem sabe não conseguia também convencer João Vítor de que ele próprio estava ficando maluco?*", divertiu-se imaginando. "*Sim, até que é uma ideia interessante*", cogitou. "*Talvez fosse bom conversar sobre isso com Xantipa mais tarde*". Por ora, no entanto, sua meta era dar continuidade a seu plano inicial: fazer com que João Vítor se unisse a Selene para tirar a posse de Juliana de Lenita.

Selene tinha acabado de sair do banho quando a campainha tocou. Usava apenas um leve roupão sobre o corpo perfumado e levou um susto quando abriu a porta e deu com João Vítor. De imediato, não pôde deixar de reparar como ele tinha se tornado atraente nos últimos anos.

– Ora, ora – disse ela, admirada –, quem é vivo sempre aparece...

Alberto sorriu satisfeito. Pelo que podia ler nos olhos de Selene, as coisas seriam ainda mais fáceis do que ele imaginava. João Vítor, no entanto, parecia imune aos olhares ardentes de Selene:

– Você não gostaria de trocar de roupa para que a gente pudesse conversar? – perguntou ele, gentil e objetivo, acomodando-se no sofá.

– Meus trajes te incomodam, mon chérie? – dardejou Selene.

– Absolutamente – respondeu ele –, apenas pensei que gostaria de...

– Eu sempre te perturbei, não é, João Vítor? – cortou Selene. – Desde os tempos do Alberto...

– Não foi para falar sobre isso que eu vim aqui, Selene – respondeu ele, convicto.

– É claro – concordou ela, cruzando as pernas de maneira sensual. – Mas, enfim, a que devo a honra desta inusitada visita?

Só então Alberto percebeu que três entidades deformadas estavam sentadas nos almofadões que ficavam do outro lado do sofá. Não era possível distinguir-lhes os sexos, nem os rostos, cobertos por uma franja de aspecto sujo, assim como o restante de seus cabelos, crespos, compridos e embaraçados.

As três entidades perceberam a presença de Alberto e o encararam de maneira ameaçadora.

– Vim até aqui conversar sobre Juliana – continuou João Vítor, incomodado com a dor de cabeça que começava a sentir.

Selene baixou os olhos e começou a brincar com o enorme anel de pedra preta que usava sempre no dedo indicador, o qual estava impregnado de fluidos negativos.

– O que você quer de mim? Pedir para que não a procure nunca mais, como fez no dia em que a entreguei a você e ao Alberto?

– *Cuidado!* – gritou Alberto para Selene, sem poder se conter ao ver que as três entidades estavam se aproximando dela.

Selene não registrou sua sugestão, mas as três entidades não gostaram nada do atrevimento de Alberto e se dirigiram até ele, ainda mais ameaçadoras. Assustado, Alberto correu para o sofá e grudou-se em João Vítor.

– *Que engraçadinho!* – disse a entidade líder do grupo. – *Então, você acha que esse seu amigo borra-botas pode alguma coisa contra nós? Pois veja só o que nós fazemos com ele!*

Dizendo isso, a mesma entidade tirou uma agulha do bolso e espetou-a no estômago de João Vítor, que imediatamente sentiu uma pontada de dor. Vendo-a de perto, Alberto percebeu que se tratava de uma mulher baixinha, que mais parecia uma anã. Seu corpo era gordinho e atarracado, seus braços e mãos eram encolhidos e malformados, cada mão tinha apenas três dedos, em vez de cinco. Toda ela estava envolta por uma fumaça escura que lhe embaçava a estranha fisionomia, na qual apenas os olhos esbugalhados se destacavam por entre os fios de cabelo.

– Ai! – gritou João Vítor, segurando o estômago –, talvez seja melhor nós continuarmos esta conversa num outro dia...

– Não – protestou Selene –, agora que veio até aqui, terá que me ouvir até o fim. Você pensa que eu não tenho direito nenhum a minha filha, não é? Que eu nunca seria capaz de dar um bom exemplo para ela, não é?

Percebendo que o assunto era grave, a líder das entidades passou a agulha para a outra que estava a seu lado, de aspecto bastante semelhante. Posicionou-se então ao lado de Selene e colocou a sua mão direita sobre a testa dela. Enquanto isso, revelando-se dona de uma incrível força, a terceira das entidades, que era um pouco mais alta que as demais e bastante corpulenta, arrancou Alberto do sofá com violência e, depois de esbofeteá-lo, amarrou-o a uma cadeira, com cordas e correntes.

João Vítor, que continuava sendo espetado pela segunda entidade, ficou contorcendo-se de dor no sofá, enquanto Selene, completamente dominada pela líder das entidades trevosas, falava sem parar:

– Pois fique sabendo que eu vou recuperar a minha filha, quer você e aquela lambisgoia da Lenita queiram, quer não. Eu sou a mãe dela e vou dar a ela o exemplo de que ela precisa! Vou apresentá-la à sociedade, vou vesti-la como uma princesa, vou fazer dela tudo o que eu não pude ser nesta vida! Eu posso fazer isto! Ou você acha que não?

– Mas, Selene... – tentou dizer João Vítor, sentindo-se como que bombardeado por suas palavras e ao mesmo tempo com muitas dores no estômago.

– Nem você, nem ninguém vai me convencer do contrário – disse ela, aproximando-se de João Vítor de maneira sensual. – A menos que você queira mudar-se também para cá e ocupar o lugar que Alberto nunca quis assumir... – ela o provocou com um sorriso sarcástico.

Em seguida, desabotoou-lhe a camisa sem qualquer constrangimento e começou a esfregar seu estômago dolorido, enquanto a entidade líder, a seu lado, dava ordens à outra para que parasse com as agulhadas. João Vítor estava tão assustado e com tanta dor que não conseguia sequer se mover. Era como se estivesse hipnotizado por Selene.

– Sabe, no fundo, eu sempre achei você um sujeito muito atraente... – dizia Selene, enquanto lhe acariciava o estômago. – Ainda mais agora, que você se deu bem na vida, virou um homem influente... Com toda certeza deve estar ganhando um ótimo salário... Já imaginou como poderíamos ser felizes juntos? Eu, você e Juliana?...

Alberto não estava menos assustado. Embora tudo parecesse se encaminhar da maneira como ele planejara, a presença daquelas entidades não lhe agradava nada. Vendo a crueldade com que elas conduziam os acontecimentos, chegou mesmo a sentir uma pontinha de arrependimento, sobretudo ao pensar que, se tudo corresse como ele mesmo idealizara, dentro de poucos dias sua filha Juliana também seria vítima daqueles terríveis algozes.

Alberto começava a se sentir culpado e irresponsável. Como pudera pensar em sacrificar a própria filha, trazendo-a para aquele antro de maldade, só para separar Lenita de João Vítor? Desesperado, pensou fortemente em Xantipa, chamando-o mentalmente.

O método deu certo. Em poucos segundos, Xantipa adentrava o ambiente. Para surpresa de Alberto, porém, imediatamente ao vê-lo, as três entidades abandonaram o que estavam fazendo e foram curvar-se diante dele, numa espécie de reverência.

– *Mestre, prendemos um intruso. Chegou aqui com o outro que nós esperávamos e tentou atrapalhar nossos trabalhos* – informou a Xantipa a líder das entidades.

– *Que papelão, hein, camarada?* – disse Xantipa, virando-se para Alberto. – *Então, eu armo todo um esquema para te dar uma força e você quase estraga tudo com essa sua mania de se emocionar à toa? Ficou com peninha do amiguinho, foi?* – perguntou, debochado, referindo-se a João Vítor.

– *Mas, Xantipa* – tentou argumentar Alberto –, *nós não combinamos...*

– *Cala essa matraca!* – bradou Xantipa irritado. – *Nós não combinamos...* – ele imitou a voz chorosa de Alberto. – *Quem manda aqui sou eu, ora essa! Tentei te tratar como camarada, mas você quis fazer tudo sozinho! Por que não se limitou apenas a fazer o que eu mandei?*

Alberto sentiu medo. Assim irritado, ele até parecia um louco psicopata, desses que aparecem nos filmes.

Enquanto isso, afagado por Selene, que se recostara em seu ombro, João Vítor, quase imobilizado pela dor, lembrava-se das palavras de dona Catarina. Sentia que ali não estavam apenas ele e Selene, havia muito mais pessoas, embora não pudesse vê-las. Sentia também que aquela não era a Selene que ele conhecera quando garoto. Até sua voz parecia alterada. Estaria ela dominada por espíritos? Seria mesmo possível tudo isso?

Sem saber o que fazer, João Vítor então pensou em Deus. "Senhor", dizia ele mentalmente em sua oração, "se todos que morrem viram espíritos, devem existir também espíritos bons, que auxiliam pessoas, que protegem contra aqueles que querem fazer o mal. Se isso é verdade, Senhor, por misericórdia, envia até aqui um espírito bom, que me ajude a sair deste lugar. Se for o espírito de Alberto que estiver aqui, causando todo esse transtorno, fazei, Senhor, com que os bons espíritos também venham ajudá-lo, que ele também possa receber o mesmo socorro e o mesmo alívio que eu estou agora pedindo para mim. Por favor, Senhor meu Deus, atende à minha prece..."

Nem bem João Vítor acabou sua oração, uma intensa luz azulada surgiu em torno dele, trazendo-lhe uma sensação de paz e tranquilidade. No mesmo instante, Selene tirou as mãos de sua barriga e caiu num pranto convulsivo.

Despertados pelo pranto de Selene, Xantipa e as entidades trevosas também perceberam a presença de um ser superior e correram para o canto da sala:

– *Depressa!* – ordenou Xantipa. – *Desamarrem o prisioneiro e vamos cair fora daqui. O miserável apelou para as forças do bem, não temos tempo a perder.*

Numa fração de segundos, os quatro atravessaram a porta e sumiram, carregando Alberto como prisioneiro. Selene continuou chorando no sofá, enquanto João Vítor, ainda circundado pela luz azulada, afagava seus cabelos com carinho. Num impulso, ela tirou então o anel do dedo, colocando-o sobre a mesa, e abriu seu coração:

– Não sei o que acontece comigo... – desabafou ela. – De uma hora para outra me sinto invadida por um monte de pensamentos ruins, e então digo coisas que eu não quero, faço coisas que eu não deveria... Depois me bate um arrependimento e fico deste jeito...

– Há quanto tempo isso vem acontecendo? – quis saber João Vítor.

– Começou um pouco antes do Alberto morrer... Uns quinze dias antes, mais ou menos. Nessa época, eu tive um sonho estranho. Um homem horrível, com cara de bêbado, aparecia para mim e dizia que eu me preparasse, porque o tempo de pagar minhas dívidas havia chegado, que já estava tudo preparado, que eu ia ver só.

– E esse tal homem, ele falava alguma coisa sobre Juliana? – interessou-se João Vítor.

– Falava – admitiu Selene. – Ele dizia que eu não pensasse que Juliana ia escapar da sua parte, que ela também ia ter que pagar o que devia. E que, se o rapazinho se metesse de novo nessa história, ele ia ver o que era bom para tosse... Engraçado... Agora, falando contigo, sabe que eu tenho a sensação de que esse tal rapazinho era você... Mas deve ser coisa da minha cabeça, efeito ainda da bebedeira de ontem – ela mesma deduziu desanimada.

João Vítor, porém, estava cada vez mais intrigado com aquela história. Era como se algo em seu íntimo entendesse tudo o que Selene dizia.

– Continue – pediu ele.

– Bom, desde aquele dia eu comecei a pensar muito em Juliana. Ficava me lembrando das vezes em que ia visitá-la, quando Alberto ainda era solteiro...

– O que não era lá muito comum... – ele observou.

– Ah, eu sei que eu não ia tanto quanto era esperado. Mas de vez em quando eu ia, e confesso que tenho saudades desses dias. Lembro dela pequenininha no meu colo, dela mais crescidinha, com aqueles grampinhos coloridos na cabeça... Tão bonitinha... – seus olhos começaram a encher-se de lágrimas novamente. – Eu sei que nunca fui mãe dela de verdade, mas, de alguma maneira, pode acreditar, eu sinto amor por ela... Ao longo de todos esses anos, muitas vezes eu senti vontade de ligar para saber dela, mas, então, quase sempre perdia a coragem, porque eu sabia que ela não gostava muito quando eu ligava...

– Mas você a apoiou quando o Alberto morreu, não apoiou? – perguntou João Vítor, querendo testá-la.

Selene respirou fundo antes de responder:

– Eu tentei, ninguém pode dizer que eu não tentei. Logo depois do enterro, liguei várias vezes, cheguei até a perguntar se ela não queria passar alguns dias aqui, para espairecer, porém ela sempre me tratava com muita frieza. Foi então que eu comecei a sentir essas coisas estranhas. De repente me dava um ódio da Juliana, por ela não querer falar comigo, um ódio maior ainda da Lenita, por ela ter passado esses anos todos cuidando da Juliana e...

– Foi então que você ameaçou Juliana, dizendo que ia pedir sua guarda ao juiz para ficar com metade da pensão do Alberto – deduziu João Vítor.

– Foi – admitiu Selene. – Na verdade, eu não queria o dinheiro, eu queria a Juliana. Quer dizer... Não posso negar para você que no momento estou passando por uma barra meio pesada e que a pensão do Alberto iria me ajudar um bocado... Mas eu não queria só isso, você me entende?

– E você nunca pensou que para conquistar Juliana precisava apenas de amor? Que tudo o que ela queria de você era que a tratasse com carinho e atenção, que fosse mais presente na vida dela, que se desprendesse das coisas materiais e a valorizasse simplesmente? – tornou João Vítor.

Selene ficou em silêncio. Grossas lágrimas, que ela se esforçava em limpar de imediato, teimavam em escorrer de seus olhos, congestionando-lhe as vias respiratórias.

– E você acha que se eu conseguisse fazer isso ela ia querer vir morar comigo? – perguntou, por fim, ainda de olhos baixos.

– O importante não é fazer com que ela venha morar com você, Selene, mas conquistar a amizade dela, seu amor de filha. Vocês podem até morar separadas e ter uma relação legal como mãe e filha. Só que, para isso, você talvez tivesse que abrir mão de alguns excessos e se portar um pouco mais como mãe, como exemplo a ser respeitado pela sua filha... – advertiu João Vítor.

– É, eu sei... Acho que tenho bebido demais, saído demais, me preocupado demais com coisas que não são nem um pouco importantes...

– Pois, então – disse João Vítor, levantando-se –, acho que por hoje você já tem muito em que pensar. Lembre-se de que você não é mais uma adolescente e que nunca é tarde para recomeçar. Agora preciso ir que estou bastante cansado.

Selene o acompanhou até a porta e deu-lhe um beijo carinhoso na bochecha.

– Obrigada por tudo... – disse ela.

Parecia envergonhada. Quase como se tivesse murchado dentro de seu roupão exuberante, que ela agora apertava por entre os braços cruzados de forma a cobrir bem todo o corpo e espantar o frio que de repente começara a sentir. Olhando para sua figura triste, encolhida, de olhos ainda inchados, João Vítor se sentiu tomado por um forte sentimento de compaixão.

– Quando quiser conversar, é só me ligar. E vê se toma juízo, viu? – disse, beijando-a na testa com carinho, já de saída.

Mesmo depois que ele foi embora, o ambiente continuou impregnado pela mesma luz azulada que o rodeava. Um foco dessa luz irradiou-se fortemente sobre Selene, trazendo-lhe uma sonolência. Na verdade, embora não se tivesse dado conta disso, acabara de receber um passe dos benfeitores espirituais. Ela respirou fundo, olhou para as garrafas expostas no bar, mas não teve vontade de se servir de uma dose, como seria habitual àquela hora. Sentia-se exausta depois de toda conversa e foi para o quarto deitar-se.

Capítulo 18

Juliana abriu a porta de casa, esbaforida, e teve uma nova surpresa. Sentadas à mesa de jantar, Lenita e dona Catarina conversavam, enquanto saboreavam delicioso chá com torradas e biscoitos amanteigados.

– Juliana! Como você demorou! Já estava ficando preocupada – disse Lenita, levantando-se para abraçá-la.

Juliana beijou as duas, depois se explicou, um pouco envergonhada:

– É que... o Paulo esteve lá na escola e...

– Que danadinho! – admirou-se dona Catarina. – Nem me disse nada... Ele veio te trazer até aqui, Juliana?

– Na verdade ele queria, mas eu achei melhor não – justificou Juliana. – Fiquei com medo de que as pessoas falassem e...

– Pois devia ter deixado! Antes falarem do que você vir sozinha pela rua a esta hora! – tornou dona Catarina.

Lenita sorriu, percebendo o brilho diferente nos olhos de Juliana, e tranquilizou dona Catarina:

– Ela já tem quinze anos, dona Catarina, não é mais uma menininha. De mais a mais, se achasse que tinha algum problema, teria me ligado, não é mesmo Juliana?

– Claro – confirmou Juliana, enquanto pegava um punhado de biscoitos. – Vou tomar um banho. Daqui a pouco estou de volta. Cadê o Lipe?

– Dormindo. Chegou da escola exausto e caiu na cama – informou Lenita.

Juliana encheu a boca de biscoitos e saiu cantarolando, de boca cheia, em direção a seu quarto. Dona Catarina e Lenita sorriram, cúmplices, uma para a outra.

– Eu não te disse, Lenita? Vai ver até já estão namorando – comentou dona Catarina.

– Acho que não – observou Lenita. – Se tivesse acontecido alguma coisa, a Juliana não teria cumprimentado a senhora tão normalmente como ela fez. Estaria morrendo de vergonha... Mas, com certeza, algum interesse ela tem nele. Li isso nos olhos dela.

– Para você ver como este mundo é pequeno... – arrematou dona Catarina.

– Mas a senhora sabe – continuou Lenita –, ainda estou pasma com a sua visita. Se eu lhe contasse o sonho que tive esta noite, a senhora não iria acreditar...

Dona Catarina mostrou-se interessada e Lenita então narrou-lhe não apenas o sonho, mas também tudo o que havia acontecido no dia anterior, conforme lhe recomendara tia Geninha.

– Lenita, eu não só acredito em tudo o que você está me contando, como tenho também uma série de explicações para lhe dar. Aliás, foi por isso que eu vim – anunciou a secretária ao fim do relato, para espanto de Lenita.

Foi então a vez de dona Catarina contar à jovem viúva de Alberto tudo o que havia acontecido no escritório naquele dia.

A cada trecho do relato, Lenita ficava ainda mais impressionada. Por fim, não podendo mais conter-se, ela perguntou chocada:

– Então a senhora acha que o espírito do Alberto estava aqui conosco ontem e que foi hoje para a empresa junto com João Vítor?

– Como disse a João Vítor, minha filha, eu não acho, eu tenho certeza. E não duvido nada de que tenha sido essa sua tia Geninha quem me convenceu a vir aqui visitá-la depois do expediente, sob o pretexto de falar de Paulo e Juliana...

Sentada perto das duas, tia Geninha sorriu, mas logo teve sua fisionomia alterada, ao perceber que um estranho vulto adentrava a sala. Ela acompanhou o vulto.

Como se também já conhecesse bem a casa, ele foi direto ao quarto de Juliana. Ficou um tempo parado diante da porta, observando a menina, enquanto ela escolhia a roupa que iria vestir depois do banho. Era Xantipa. Juliana, porém, estava tão alegre com os últimos acontecimentos do dia, tão satisfeita por sua família estar sendo ajudada por tantas pessoas amigas, que não oferecia brechas a nenhum de seus pensamentos maléficos. Ao contrário, o tempo todo ela emitia vibrações de gratidão, imaginando o quanto Deus era bom para ela, mesmo a despeito de todo o sofrimento por que havia passado. Xantipa não conseguiu permanecer por muito tempo a seu lado, incomodado pelo teor luminoso de suas emissões mentais.

Sempre seguido de perto por tia Geninha, entrou então no quarto de Felipe e buscou concentrar-se no pensamento do menino. Logo pôde constatar que a situação ali era bem mais confortável – para ele –, da que encontrara no quarto de Juliana.

Adormecido, Felipe se debatia num pesadelo, no qual via seu pai amarrado numa caverna, sendo chicoteado por três entidades de estranho aspecto. Escondido num canto da caverna, sem ser visto pelas entidades, Felipe chorava desesperado, sem saber o que fazer para ajudar o pai.

Satisfeito por encontrar tão perfeita sintonia, Xantipa aproximou-se, então, do corpo adormecido do menino e projetou sobre ele fluidos escuros e pesados.

Voltou depois calmamente à sala, onde foi sentar-se ao lado de dona Catarina. Tal como acontecera no quarto de Juliana, a energia positiva que emanava da secretária, porém, novamente o incomodou, e ele preferiu afastar-se. Mas, ainda assim, manteve-se atento à conversa das duas.

– *Agora vamos ver o que é que essa enxerida veio fazer aqui* – anunciou, acomodando-se perto, mas não tão próximo.

Intuindo sua presença, dona Catarina experimentou leve mal-estar.

– A senhora ficou pálida de repente... Está se sentindo bem? – percebeu Lenita.

Sempre tendo cuidado para não ser pressentida por Xantipa, tia Geninha parou atrás de dona Catarina e pôs-se a irradiar luz em sua direção. Sentindo-se amparada pelas forças do bem, esta fechou os olhos por alguns instantes, procurando se concentrar para extrair o máximo daquelas energias.

– Aconteceu alguma coisa, dona Catarina? – insistiu Lenita.

Dona Catarina abriu os olhos, respirou pausadamente e disse, com os olhos iluminados:

– Graças a Deus! Lenita, querida, quando morremos, carregamos conosco tudo aquilo que somos. Nossos sentimentos, nossas emoções, nossos apegos e preocupações. Aflitos e desvairados, muitas vezes retornamos a nossos antigos lares e contemplamos, ensandecidos de angústia, as propriedades de que nos julgávamos donos, nossos objetos, até mesmo as pessoas a quem amávamos, e nos desesperamos ante a impossibilidade de continuar a exercer sobre eles o mesmo domínio. Instala-se então a revolta dentro de nós e um triste sentimento de egoísmo nos impele a amaldiçoar e destruir todos aqueles que acreditamos estarem usufruindo de algo que, "por lei", nos pertencia, seja do nosso trabalho, da nossa casa ou até mesmo do amor de nossos filhos.

Xantipa inquietou-se ao ouvir as palavras de dona Catarina. Sua vontade era de sair daquela casa o quanto antes, mas, ciente da tarefa que o trouxera até ali, procurou concentrar-se para poder escutar aquela conversa até o fim.

– O que a senhora está falando faz sentido – considerou Lenita. – Alberto era realmente uma pessoa muito dominadora, e muito ciumenta também...

– Na verdade, minha filha, o homem só possui em plena propriedade aquilo que lhe é dado levar deste mundo: a sua inteligência, os seus conhecimentos e as suas qualidades morais – continuou dona Catarina, inspirada espiritualmente por Geninha – são esses os verdadeiros tesouros a que se referiu o mestre Jesus, os únicos que a ferrugem e os vermes não comem, que os ladrões não podem desenterrar e roubar. Todavia, poucos de nós se lembram de cultivar esses tesouros enquanto encarnados. A grande maioria carrega para junto do túmulo a dor da frustração, diante do bem que não conseguiu realizar.

– Mas o Alberto era uma pessoa boa – ponderou Lenita –, não desejava mal a ninguém, até gostava de ajudar as pessoas... Talvez seu único defeito grave fosse estar sempre questionando a existência de Deus...

– *Quanta baboseira* – deixou escapar Xantipa. – *Mal sabe ela que o marido é um assassino...*

– Eis aí a grande questão, Lenita – prosseguiu dona Catarina –, pois, para que não façamos o mal, basta, as mais das vezes, que não nos deparemos com situações adversas. Fazer o bem, porém, requer fé e confiança no futuro. O homem que acredita em Deus sabe que é seu dever auxiliar os seus semelhantes e que de suas boas ações dependerá seu futuro na pátria celestial. Na maioria das vezes, o homem só faz o bem na esperança de que aqueles que o cercam o reconheçam como uma pessoa generosa, satisfazendo, assim, acima de tudo, o seu orgulho e o seu amor-próprio. E, mesmo assim, esse bem quase sempre se restringe apenas àqueles que fazem parte de seu círculo mais íntimo. No entanto, quando Jesus disse "Amai o vosso próximo como a vós mesmos", ele se referia não apenas àqueles que estão ligados a nós por laços de parentesco, amizade ou vizinhança, mas a toda a humanidade...

– Entendo o que a senhora quer dizer – asseverou Lenita. – A crença em Deus é como se fosse a terra fértil de onde brotam profundas raízes do nosso amor por todas as outras pessoas, não é isso?

– Sim, Lenita, sem essa terra fértil, qualquer ventania pode derrubar a árvore de nossos sentimentos – concordou dona Catarina.

– Mas acho que, de alguma maneira, mesmo se esforçando para parecer o contrário, Alberto tinha essa terra fértil dentro de si – argumentou Lenita. – Ele não era uma dessas pessoas que só fazem o bem por falta de oportunidade de fazer o mal. Ele fazia mais do que a maioria e ainda tinha o cuidado de não fazer isso na frente de qualquer pessoa, só para ganhar elogios. Digo isso porque uma vez eu saí atrás dele, de manhã cedo, para tentar entregar alguns documentos que ele tinha esquecido em cima da mesa, e, quando cheguei à entrada da estação do metrô, me deparei com o Alberto cercado de crianças de rua. Ele estava distribuindo pão – ela se emocionou ao recordar a cena.

– Não fique assim, Lenita... – dona Catarina fez um carinho em suas costas, tentando confortá-la.

– Confesso à senhora que eu nunca tinha visto uma cena tão bonita – ela prosseguiu, sensibilizada. – Fiquei tão surpresa que nem consegui dizer nada quando entreguei os papéis para ele. Mais tarde, quando conversamos, ele me disse que fazia isso há muitos anos e me fez prometer jamais contar isso a ninguém... Era um segredo dele, que eu respeitei até hoje...

– Isso que você está me contando é uma coisa muito boa, filha... Significa que Alberto, embora questionasse a existência de Deus e não tivesse uma religião, seguia os preceitos do Cristo e, com isto, agradava a Deus – inferiu dona Catarina.

– *Eu vi mesmo lá no restaurante como Alberto é um ser iluminado... Vai ver até foi por isso que nos conhecemos! Eu também sou uma pessoa tão boa...* – comentou Xantipa, debochado, sem conseguir esconder o quanto lhe soavam como embustes aquelas atitudes de Alberto, em cuja bondade ele de fato não acreditava.

Definitivamente, Xantipa não estava gostando nada daquela conversa. Embora não pudesse ver tia Geninha, agora percebia claramente que as duas não estavam sozinhas. Sabendo disso, procurava fazer o mínimo de ruído possível, para que o espírito de luz ali presente não percebesse a sua presença (como se isso fosse possível).

– Mas a senhora acredita – prosseguiu Lenita, preocupada – que o Alberto esteja vivendo momentos de perturbação pelo simples fato de não acreditar piamente na existência de Deus?

– Deus jamais se esquece de um filho. O filho é que, muitas vezes, por revolta, se esquece do Pai. O Alberto encontra-se em perturbação não porque Deus tenha se esquecido dele, mas porque não foi preparado para admitir o fato de que a vida continua depois da morte e, sobretudo, que a vida de vocês continua depois da morte dele – explicou dona Catarina.

– E será que, em nome dessa revolta, ele deixou de amar a mim, às crianças e até mesmo ao João Vítor, que sempre foi como um irmão para ele?

– Não é que ele tenha deixado de amar, Lenita. Ele ama a todos vocês, mas de uma maneira equivocada. Ama como se fossem posses suas e se ressente ao vê-los reconstruir suas vidas independentemente dele. De certa forma, por uma questão de imaturidade espiritual, o que ele mais amava em vocês era o amor que dedicavam a ele e, à medida que percebe que, na ausência dele, vocês podem também amar outras coisas e outras pessoas, Alberto se ressente demasiadamente, porque se considerava o centro da vida de vocês. Trata-se de um amor selvagem, capaz de se transformar em ódio no momento em que vê ameaçada a sua reciprocidade. Na cabeça momentaneamente perturbada de Alberto, é como se vocês, ao se desligarem dele, não o amassem mais, embora isso não seja verdade.

– Meu Deus! Então ele deve estar sofrendo muito... Se estava mesmo conosco naquele dia, no restaurante, deve ter pensado que nós havíamos colocado João Vítor em seu lugar! – imaginou Lenita.

– *Coitadinho do Albertinho...* – novamente ironizou Xantipa, a quem nenhuma daquelas palavras parecia sensibilizar.

– No caso de João Vítor, a situação é ainda mais complicada, porque, além de estar convivendo com vocês, ele assumiu o cargo que Alberto desejava na empresa. Até em função da maneira abrupta com que Alberto foi tirado da vida, ele não pode entender a atitude de João Vítor como um reflexo da amizade que existia entre eles. Ao contrário, acredita que o amigo o esteja traindo, que esteja se apossando de tudo o que outrora lhe pertencia. Nesses casos, é muito comum o espírito colar-se à pessoa que acredita que esteja ocupando seu lugar, para viver, por meio dela, a vida que não mais lhe pertence, ou simplesmente para vingar-se, sugerindo que faça coisas que só a prejudicariam – prosseguiu dona Catarina.

– Então foi por isso que tia Geninha insistiu tanto para que eu convencesse João Vítor a não discutir com o senhor Fernandez... – deduziu Lenita.

– Se sua tia pediu isso a você com tanta ênfase, é porque provavelmente Alberto tramava uma maneira de fazer com que João Vítor se indispusesse com o chefe, alimentando-lhe pensamentos que poderiam até causar a sua demissão – explicou dona Catarina.

– *Ah! Então foi essa tal tia Geninha que atrapalhou tudo* – disse Xantipa, cerrando os pulsos. – *Ela também não perde por esperar!*

Lenita pensou por alguns instantes, mordendo a ponta das unhas, e então desabafou, com os olhos cheios de lágrimas:

– Eu amo a Deus, dona Catarina, e amo profundamente o Alberto, as crianças, e o João Vítor também, que sempre foi mais que um amigo para nós. E é em nome desse amor que eu lhe pergunto: o que eu posso fazer para ajudá-los?

– Antes de mais nada, querida, você precisa se fortalecer. Cercar-se de boas influências, de boas companhias, de energias positivas no seu dia a dia. Precisa também entender melhor o que está fazendo aqui na Terra, aprender e estudar sobre o mundo espiritual – aconselhou dona Catarina.

– E como eu posso fazer isso? Sabe, embora eu sempre tenha acreditado em Deus, eu nunca tive uma religião, meus pais nunca ligaram muito para isso. Quando me sinto muito chateada, costumo ir até a igreja e pedir ajuda à Nossa Senhora, mas não gosto muito de missas. Acho que tenho trauma. Quando eu era garota, cheguei a assistir a aulas de catecismo na escola, para fazer primeira comunhão. Mas sempre discutia muito com os padres, porque, sempre que eu questionava alguma coisa, eles me diziam que a Igreja era feita de dogmas, e dogma a gente não questiona. Dava uma angústia em mim! – recordou-se Lenita.

– Entendo a sua angústia. Também passei por isso, mas hoje sei que tudo tem uma explicação. A Doutrina Espírita me deu essa segurança. Se você quiser, posso levá-la para assistir a uma reunião na casa em que eu frequento. Tenho certeza de que vai gostar muito – convidou dona Catarina.

– Eu adoraria! – exclamou Lenita. – E quando são realizadas as reuniões nessa casa?

– As reuniões abertas ao público acontecem sempre às quintas e domingos, mas eu estou pensando também em levar o nome do Alberto para a reunião mediúnica que eu frequento às quintas... – dona Catarina pensou alto.

– Reunião mediúnica? O que é isso? – quis saber Lenita.

– É uma reunião fechada, em que os espíritos se comunicam por meio dos médiuns – explicou dona Catarina.

– Então quer dizer que o Alberto poderá falar conosco?

– Quem sabe? Mas não se vai a uma reunião mediúnica como quem vai à companhia telefônica. Se Deus e os bons espíritos acharem necessário, se o espírito e sua família tiverem merecimento, enfim, existem muitos fatores para que a comunicação venha ou não a acontecer. O importante, porém, é que estaremos lá com o intuito de ajudar o Alberto, ainda que ele não se manifeste – ponderou dona Catarina, querendo evitar falsas expectativas.

– *Isso é o que nós veremos* – desafiou Xantipa, de seu esconderijo.

– E nas sessões abertas os espíritos não se comunicam? – voltou a perguntar Lenita.

– Diretamente, não – elucidou a boa senhora. – Nessas ocasiões as pessoas vão até o centro apenas para ouvir palestras e tomar passes. Em algumas casas, há espaço para a leitura de mensagens psicografadas, mas isto não é uma regra geral.

– E quando é essa reunião a que a senhora acha que eu devo ir?

– É amanhã, às oito horas, mas costumamos chegar por volta das sete e meia. Eu, inclusive, falei também com o João Vítor, mas acho que ele não gostou muito da ideia. Se você pudesse convencê-lo a ir conosco, penso que seria muito positivo.

– Amanhã? Deixe comigo – prometeu Lenita, animada.

– E quanto a Felipe e Juliana?

– O Felipe pode vir também. Tem um grupo de jovens que cuida das crianças pequenas enquanto os pais participam da reunião. Em meio a brincadeiras, eles ensinam às crianças alguns conceitos básicos da doutrina, como o respeito aos semelhantes, a importância da caridade, a bondade de Jesus e muitas outras coisas. O Paulo, meu filho, faz parte desse grupo, que antigamente se chamava Escolinha de Evangelização Infantil Francisco de Paula, mas acho que hoje tem outro nome. Mas isso não importa. O fato é que existe uma equipe preparada especialmente para lidar com as crianças e passar para elas os mesmos conteúdos que os pais aprendem nas palestras públicas.[3]

– Que trabalho bonito! – comentou Lenita, maravilhada.

---

3. Apesar de ainda ser muito utilizado o termo evangelização infantil em muitas casas espíritas, a expressão Educação Espírita Infantil já vem sendo utilizada e considerada mais atual.

– Quanto à Juliana – continuou dona Catarina –, tenho certeza de que Paulo deve estar prestes a convidá-la para assistir a uma reunião na mocidade espírita, que funciona aos sábados de tarde. Se é que já não convidou...

As duas riram satisfeitas. Pela vontade de Lenita, passariam o resto da noite ali conversando. Dona Catarina, no entanto, apressou-se: precisava cuidar do jantar de Paulo.

– Essa sua visita foi uma bênção, dona Catarina. Nem sei como agradecer... – disse Lenita, acompanhando-a até a porta.

– Agradeça a Deus e à sua tia Geninha, que, com certeza, foi quem nos aproximou – brincou dona Catarina. Antes de sair, ela ainda fez uma última recomendação a Lenita: – Agora você se prepare, querida, porque amanhã, se o Alberto ou algum outro espírito perturbado estiver por perto, como eu imagino, vai acontecer de tudo para impedir vocês de irem à reunião. Logo ao acordar, faça uma prece a Deus, pedindo para que tenha forças para vencer todos os obstáculos e conseguir encontrar-se comigo, no centro, às sete e meia.

– Nada me impedirá de fazer isso – garantiu Lenita.

Nesse momento, ainda escondido debaixo da mesa, Xantipa soltou uma gostosa gargalhada.

– Não tenha tanta certeza – advertiu dona Catarina. – Mas em hipótese alguma perca sua fé, procurando sempre cultivar pensamentos de alegria e otimismo. Assim tornará mais difícil a aproximação de espíritos mal-intencionados. Como dizia o mestre Jesus, "orai e vigiai". E lembre-se: às oito horas em ponto as portas se fecham e não se pode mais entrar.

Após a despedida, Lenita sentia-se como se tivesse sido inundada por uma torrente de luz. Chegou a ir até o quarto de Juliana, louca para contar à enteada tudo o que ouvira de dona

Catarina, mas Juliana estava tão mergulhada no livro que ganhara de Paulo que nem percebeu sua presença. Intuída por tia Geninha, Lenita então fechou suavemente a porta e foi deitar-se. Mal podia esperar para que chegasse o dia seguinte.

Xantipa ainda tentou aproximar-se dela e de Juliana, mas sentiu-se impedido por um escudo invisível e não conseguiu ultrapassar a porta do quarto de nenhuma das duas. Voltou então ao quarto de Felipe e, vendo que o menino continuava agitado em seu pesadelo, decidiu ir embora, considerando sua missão cumprida por aquele dia.

Logo que ele saiu, tia Geninha chegou a aproximar-se de Felipe, disposta a anular as energias negativas com que Xantipa impregnara o garoto. No momento em que ela se preparava para aplicar-lhe um passe reparador, porém, o espírito doutor Márcio, o médico que cuidara de Alberto no plano espiritual, completamente envolto em luz, se fez visível no quarto e a advertiu:

– *Geninha, não podemos fazer o que compete aos encarnados, mesmo amando-os demais. Cada um tem uma série de lições a aprender, as quais fazem parte de seu caminho evolutivo.*

– *Mas ele é ainda tão pequeno e indefeso* – replicou a senhora.

– *Felipe precisa entender que não pode ir atrás do pai quando quiser, sem a nossa autorização. Além disso, ao vê-lo adoentado, Alberto fatalmente será obrigado a reavaliar suas últimas atitudes* – elucidou o médico.

– *Mas, para evitar que isso aconteça, Xantipa e seu bando montarão guarda ao lado de Felipe* – insistiu Geninha.

– *É bom que eles estejam por perto. Esses irmãos necessitam de doutrinação, esclarecimento, e só teremos oportunidade de fazer isso se eles acompanharem Felipe, Juliana e Lenita na reunião de amanhã* – tranquilizou-a o doutor Márcio. – *Lembre-se sempre, querida irmã, não cai uma só folha de uma árvore sem que seja do conhecimento do Pai...*

Assim, diante de todas essas orientações, só restou à tia Geninha orar para que tudo corresse conforme o doutor Márcio previa.

Capítulo 19

Felipe continuava chorando, escondido num canto da gruta, quando, de repente, sentiu-se envolvido por uma voz feminina, muito tranquila, que dizia:

– *Tenha fé em Deus, meu menino. Seu pai vai ficar bem. Tudo isso é apenas um pesadelo. Procure se acalmar e rezar para o papai do céu, pedindo a ele para que você possa sair desse sonho ruim.*

Felipe olhou para os lados, procurando descobrir de onde vinha aquela voz, mas não viu ninguém. Virou-se para o lado de fora e percebeu que um homem feio e sujo, de cabelo e barba crescidos, vinha em direção à caverna, carregando algo. Ele ainda estava longe, mas seus olhos brilhavam como os de uma raposa. Tomado pelo pânico, o menino então se ajoelhou no chão e decidiu fazer o que a voz lhe recomendara:

– Papai do Céu, por favor, me tire daqui depressa. Leve-me de volta para minha caminha e eu prometo que nunca mais vou sair andando por aí, procurando pelo meu pai Alberto. Papai do Céu, por favor, não deixe que nada de ruim aconteça com o meu pai Alberto...

Poucos segundos depois, Felipe acordava em seu quarto, ainda chorando, sob o impacto do sonho. Enxugou o suor da testa e correu para a cama de Lenita.

– O que houve, Lipe? – perguntou ela, vendo-o acomodar-se a seu lado, com os olhos ainda molhados.

– Pesadelo... – respondeu Felipe, já querendo chorar novamente. Lenita o abraçou com carinho e procurou acalmá-lo:

– Já passou, eu estou aqui com você. Agora procure dormir mais um pouco que ainda está de madrugada. Amanhã a gente conversa sobre o sonho, está bem assim?

Felipe se aconchegou junto à mãe e, sentindo-se seguro, logo voltou a adormecer. Enquanto isso, Xantipa chegava à entrada da caverna, carregando um pequeno embrulho, e procurava pelo menino:

– *Onde está ele? Tenho certeza de que vi o moleque aqui quando vinha pela estrada...*

Como de hábito, a líder das entidades trevosas correu a seu encontro:

– *O prisioneiro está na caverna, mestre. Levou uma surra que nunca mais vai esquecer.*

– *Não estou falando de Alberto! Estou falando do menino. Eu sei que ele estava aqui!* – afirmou Xantipa, continuando a procurar Felipe por entre as pedras.

O lugar era bastante sombrio e assustador. Tudo em torno da caverna estava coberto por uma névoa escura e pesada; estranhos pássaros, que mais pareciam morcegos gigantes, sobrevoavam por entre árvores secas, escuras e retorcidas, as quais circundavam imensa poça de lama fétida em frente à caverna.

– *Não há nenhum menino aqui, mestre* – garantiu a entidade.

– *Não ouse duvidar de mim, entendeu bem?* – gritou Xantipa, com o dedo em riste.

– *O mestre não bebeu quase nada hoje* – comentou a entidade, depois de alguns minutos de silêncio.

– *Por isso estou irritado. Naquela maldita casa só tinha chá!* – esbravejou Xantipa.

Logo em seguida, mudando de tom, entregou o pequeno embrulho à entidade, dizendo:

– *Tome. Isso foi tudo o que eu consegui arrumar no caminho.*

A entidade pegou nas mãos o embrulho, sem conseguir esconder sua satisfação.

– *Roubei de uma velha imbecil, antes de vir para cá* – disse Xantipa, dando uma gargalhada. – *E o prisioneiro, onde está?*

A entidade conduziu Xantipa até o interior da caverna, onde Alberto encontrava-se amarrado a uma estalagmite, cheio de arranhões e machucados. A seu lado, as duas outras entidades dormiam, exaustas, segurando, cada qual, um bastão cheio de pontas afiladas.

– *E aí, camarada, passou bem a noite?* – perguntou Xantipa com desdém.

– *Sinto muitas dores...* – respondeu Alberto, quase num gemido.

– *Pois isso é para você aprender a não se meter onde não é chamado. Falando nisso, trago notícias de sua casa...* – provocou Xantipa.

Alberto teve de juntar todas as suas forças para conseguir perguntar:

– *Co... como está Leni... ta?*

– *Linda como nunca* – tornou Xantipa. – *Tem umas pernas que eu vou te dizer...*

– *Seu porco imundo* – rebateu Alberto, reanimado pela ira.

Xantipa aproximou-se, segurou-o pelo pescoço, cuspiu-lhe no rosto. Depois disse calmamente, soletrando cada sílaba:

– Por-co i-mun-do é vo-cê! Assassino! Eu só não te arrebento agora porque tenho uma dívida de gratidão contigo. Porque foi legal comigo e me devolveu a minha filha, embora ela tenha voltado para você. Mas agora ela é minha, entendeu? Minha, e vai ter que aprender a me respeitar, como ela não respeitou no passado.

Alberto abaixou o rosto e pôs-se a chorar. Não entendia por que Xantipa o tratava desse jeito, por que o chamava de assassino, por que odiava tanto Selene, por que se empenhava tanto em maltratar seus familiares. E quem era aquela filha a quem Xantipa se referia? Pensou em Selene, mas afastou rapidamente a hipótese. Ele conhecera o pai de Selene, o oficial da aeronáutica, que era bem diferente de Xantipa. Veio-lhe à mente então a imagem de Juliana. Alberto sentiu um arrepio percorrer todo o seu corpo dolorido e conteve as lágrimas, paralisado de medo. Não, não podia ser. Ele tinha certeza de que Selene não o enganara. Juliana era sua filha. Xantipa, certamente, devia estar falando de outra pessoa.

Enquanto Alberto divagava em seus questionamentos, a entidade líder chamou por Xantipa:

– *A mesa está pronta* – anunciou ela, que havia aberto o embrulho que lhe fora entregue pelo mestre e colocado sobre uma pequena mesa tosca algumas fatias de pão escuro e algumas frutas de aspecto estranho, que Alberto nunca vira.

Imediatamente as duas entidades que dormiam abriram os olhos e correram para a mesa, esfomeadas. Obedecendo a um sinal de Xantipa, a entidade líder desamarrou Alberto e também o conduziu para a mesa. Logo que ele se aproximou, Xantipa, sentado à cabeceira, o alertou:

– Estou lhe dando uma chance, porque, no fundo, não tenho raiva de você. Só quero que aprenda a ser mais educado.

Dizendo isso, Xantipa apanhou o pão e começou a comer com prazer e apetite, no que foi logo imitado pelas entidades trevosas que o cercavam. Apesar da aparência ruim daqueles alimentos, Alberto decidiu experimentar. Sentia-se muito fraco e precisava alimentar-se. O gosto até que não era dos piores, e, depois de três fatias, ele já se sentia bem melhor.

– *Experimente também uma fruta* – disse Xantipa, de boca cheia. – *Não é como água, mas pelo menos serve para matar a sede.*

Alberto obedeceu e realmente sentiu um certo frescor depois de saborear a fruta.

– *Agora que já se fartou, vamos ao que interessa* – continuou Xantipa, limpando a boca sem elegância alguma. – *A notícia que eu trago não é das melhores. Sua mulher confessou para aquela secretária enxerida que está completamente apaixonada pelo seu amiguinho.*

Alberto esbugalhou os olhos de espanto:

– *Ela disse isso?*

– *Para você ver quem são os seus amigos de verdade... Eu te ajudo, te dou comida, te trago notícias e você ainda me xinga...* – lamentou Xantipa, com ar sonso.

Alberto abaixou os olhos envergonhado. Embora não compreendesse os métodos e razões de Xantipa, tinha de admitir que ele fora a única pessoa que se dispusera a ajudá-lo desde que saíra daquele estranho hospital. Quanto a João Vítor e Lenita, seu ódio por eles crescia a cada instante. Percebendo-lhe os pensamentos, Xantipa prosseguiu em sua tática:

– *Parece que os dois descobriram que você está no caminho deles, e agora estão tramando para destruí-lo. Querem te convencer a voltar para aquele hospital...*

– *Eles não podem fazer isso! Eu não vou!* – protestou Alberto, irritado, mordendo a isca.

– *Eu também fiquei revoltado, camarada* – continuou Xantipa cínico. – *Imagine que eles estão tramando ir ao tal centro com a dona Catarina. Lenita, João Vítor e até as crianças. Vão pedir aos espíritos para levarem você de vez...*

– *Hipócritas! Miseráveis!* – blasfemou Alberto. – *Já que eles querem me destruir, eu também sou capaz de qualquer coisa para acabar com a raça deles!*

– *Ah!* – comemorou Xantipa. – *Agora nós estamos falando de novo a mesma língua. Escute aqui, eu posso livrar mais uma vez a tua barra. Mas você tem que me prometer que dessa vez vai fazer tudo direitinho, do jeito que eu mandar...*

– *Já disse* – tornou Alberto, revoltado. – *Faço qualquer coisa para me vingar desses traidores. Pensar que meus próprios filhos... Agora começo a entender você, Xantipa... A dor da ingratidão é pior do que a dor da morte...*

– *Pois bem* – disse Xantipa, referindo-se às três entidades –, *todos vocês são testemunhas do que ele está dizendo. O plano é o seguinte: Carmona, Uldarico e Titânia vão voltar para a casa de Selene e dar sequência a tudo o que já estava combinado.*

– *E eu?* – quis saber Alberto, cuja fisionomia denunciava o estado de perturbação.

– *Você, camarada, vai voltar para casa e fazer de tudo para evitar que eles saiam na terça-feira à noite para a tal reunião. Eu até já adiantei as coisas para você, fazendo o menino ficar doente* – informou Xantipa.

– *Felipe? Doente?* – preocupou-se Alberto, como quem dá um passo para trás.

– *Lembre que eles não estão nem um pouco preocupados com você. São uns ingratos! De mais a mais, é só uma coisinha de nada, só para impedir a mãe de sair de casa* – justificou o chefe.

– *Se é assim...* – concordou Alberto. – *E quanto a Juliana e Lenita?*

– *Você deve conseguir fazer com que elas briguem, jogar Juliana contra Lenita* – explicou Xantipa, com segundas intenções.

– *Acho que não vai ser difícil* – conjecturou Alberto.

– *Lembre-se* – continuou Xantipa – *em caso de problemas, é só pensar firme em qualquer um de nós, como fez na casa de Selene.*

– *E João Vítor?* – quis saber Alberto.

– *Este fica por minha conta. Estamos todos de acordo?*

Carmona, Uldarico, Titânia e Alberto concordaram. Antes de se despedirem, por via das dúvidas, Xantipa determinou que todos deveriam se reunir às seis e meia da tarde do dia seguinte, na casa de Lenita.

– *Seria interessante que Selene também participasse da confusão* – imaginou Xantipa, soltando uma última gargalhada. – *Mas eu ainda pretendo ter uma conversinha com ela, antes de o dia amanhecer.*

Por alguns instantes, Alberto chegou a sentir pena de Selene. Ao lembrar-se, porém, de tudo o que Xantipa havia lhe contado sobre Lenita e João Vítor, achou melhor não interferir. O "chefe", certamente, deveria ter alguma razão para querer se vingar de Selene.

Capítulo 20

O dia já amanhecia quando Alberto se viu diante da porta de seu antigo apartamento. Agora, devidamente instruído por Xantipa, já sabia locomover-se pela cidade, sem precisar que alguém pensasse nele para poder se aproximar. Xantipa ensinara-lhe também como atravessar portas e paredes, a partir da força de sua vontade. Sendo assim, não teve nenhuma dificuldade para entrar.

Chegando à sala, lembrou-se de seu último encontro com tia Geninha e procurou-a, desconfiado, por todos os lados. Prudentemente, porém, ela tomou os necessários cuidados para que Alberto não pudesse pressentir sua presença. Estava ciente das razões que o traziam até ali.

Sempre ressabiado, Alberto seguiu rumo a seu antigo quarto. Por mais que estivesse sentindo raiva de Lenita, ao mesmo tempo experimentava uma enorme necessidade de vê-la. Ao passar pelo quarto de Juliana, entretanto, notou uma luz acesa e decidiu entrar.

Juliana passara a noite mergulhada no livro que ganhara de Paulo. Vendo-a tão concentrada na leitura, Alberto sentiu seu coração amolecer, lembrando-se da última manhã em que a vira, antes do terrível acidente que lhe tirara a vida. "*Certamente, a pobrezinha deve estar estudando para alguma prova*", pensou ele, completamente esquecido, naquele momento, das ordens e das intrigas de Xantipa.

Embora Alberto não pudesse perceber, em função de seu baixo padrão vibratório, Juliana encontrava-se fortemente sintonizada a um grupo de amigos espirituais, que sempre costumam ficar de alguma maneira ligados àqueles que buscam consolo na literatura espírita, cobrindo-lhes de fluidos positivos e elucidando-lhes possíveis dúvidas. Mas Juliana não tinha ideia disso.

Instigado por esses amigos espirituais de luz, Alberto sentiu-se curioso para saber que matéria a filha estava estudando. Aproximou-se de sua cama e, não resistindo, deu-lhe a costumeira batidinha no nariz. Sensibilizada pela leitura, Juliana, que pensava justamente no pai enquanto lia aquele capítulo, teve um sobressalto, levando intuitivamente os dedos à ponta do nariz. Sentiu então seu coração se apertar de saudades e teve vontade de chorar. Como havia acabado de aprender, porém, que o choro dos encarnados fazia muito mal a seus entes queridos que viviam no plano espiritual, esforçou-se para controlar esse sentimento e procurou concentrar-se na página que tinha diante de si.

Naquele trecho, César, o autor espiritual, narrava uma conversa com seu orientador, quando, junto com outros jovens, preparava-se para integrar uma equipe de auxílio àqueles que chegam ao mundo espiritual, ainda despreparados para enfrentar sua nova condição. Cada vez mais e mais envolvida com a leitura, Juliana sentia-se um daqueles jovens a quem o orientador delicadamente explicava a diferença entre conhecimento e consciência.[4] Embora surpreso com o teor daquelas linhas que a filha digeria tão avidamente, Alberto não pôde deixar de sentir interesse por aquelas informações que pareciam dizer respeito tão de perto à sua situação.

Assim, completamente sintonizado com a filha, logo passou a escutar seus pensamentos, como se ela estivesse lendo para ele:

> *O conhecimento é informação que recebemos e assimilamos. A consciência é saber discernir o certo do errado, procurando fazer o melhor. Um exemplo disso é que sabemos que devemos perdoar e não perdoamos. Que precisamos nos reconciliar com os adversários, mas, quando chega a oportunidade, não conseguimos vencer o ressentimento e a mágoa.*

Juliana parou por alguns instantes para refletir sobre o que acabara de ler. Não conseguia compreender aonde o orientador queria chegar. Com os exemplos dados nos parágrafos seguintes, porém, tudo ficaria mais claro, tanto para ela quanto para Alberto:

> *– Quando ainda na Terra – comentou uma garota de nome Márcia – graduei-me em Química e sabia exatamente o mal que as drogas causavam ao organismo humano. Ainda assim, tornei-me tão dependente delas que não conseguia deixar o vício, o que me levou à morte por "overdose". Creio que meu caso ilustra bem a diferença entre o conhecimento e a consciência.*

---

4. Trecho do livro *Céu azul*, cit., Capítulo 9 – "Conhecimento e Consciência", pp. 40-44.

– Exatamente – concordou o orientador.

Logo outros exemplos surgiram, enriquecendo o assunto. O colega Horácio lembrou:

– Eu também sou um exemplo disso. Quando completei dezoito anos, papai presenteou-me com uma moto, que era o sonho da minha vida. Alertou-me para que tivesse cuidado, não saísse sem capacete, não corresse muito e tudo o mais. O jornal e a televisão sempre enfatizavam a necessidade de determinados cuidados, mostrando a realidade do trânsito em nosso país, em que grande quantidade de pessoas perde a vida por imprudência, negligência ou imperícia. Além disso, eu era acadêmico de Direito e conhecia a responsabilidade perante os atos praticados, segundo a lei.

Fez uma pausa e, fitando cada um de nós que o ouvíamos interessados, finalizou:

– Apesar de tudo isso, não ligava a mínima. O resultado é que acabei perdendo a vida num acidente, por excesso de velocidade.

Ouvindo isso, involuntariamente, Alberto pôs-se a pensar. Lembrou-se de que, alguns meses antes de sofrer o enfarto, vinha sentindo algumas dores no coração, mas negara-se a procurar um médico, acreditando-se imortal. Em lugar disso, esgotara-se cada dia mais no trabalho e entregara-se a excessos alimentares nos fins de semana. No próprio dia de sua morte, desprezara sua dor até o momento fatal, e ainda por cima atravessara a rua com o sinal piscando, embora houvesse advertido os filhos inúmeras vezes para que jamais fizessem isso. Teria ele, em alguma medida, sido culpado por sua morte? Afinal, que livro era aquele que Juliana estava lendo? Fixou novamente seu pensamento na filha, que havia prosseguido na leitura enquanto ele se deixara levar por suas divagações:

– Como podem ver – considerou o orientador Matheus – não é conhecimento que nos falta, mas a consciência para poder aplicar esses conhecimentos que possuímos. Por isso, a mensagem de Jesus Cristo é de vital importância para todos nós, remetendo-nos à origem de nossos males e ensinando que devemos fazer aos outros o que gostaríamos que os outros nos fizessem.

Sensibilizada com estas palavras, Juliana fechou o livro em torno do dedo indicador e pôs-se a lembrar da mãe. Será que se ela, Juliana, estivesse no lugar de Selene, gostaria que sua filha agisse da maneira como ela agia com a mãe, tratando-a com o mais profundo desprezo? "Não, certamente que não", respondeu a si própria, em pensamento.

A seu lado, Alberto a observava orgulhoso. Que menina boa era Juliana! Como ele gostaria de ter ao menos um terço de sua capacidade de perdoar, de amar as pessoas acima e apesar de tudo... Mas não podia aceitar a traição de Lenita e João Vítor. Isso não. Com toda certeza, se estivesse no lugar de João Vítor, se fosse João Vítor quem tivesse morrido, ele jamais se aproximaria da família do amigo com vistas a tomar seu lugar. "*Se bem que era fácil afirmar que nunca se interessaria pela mulher de um amigo quando este sequer tinha uma esposa, alguém real e concreto a quem pudesse de fato direcionar qualquer tipo de sentimento*", racionalmente refletiu, relembrando quantas vezes haviam se interessado pela mesma menina ainda nos tempos de escola.

– Eu só não queria sentir essa dor – disse alto Juliana, arrancando-o de suas lembranças e trazendo-o de volta ao presente. – Se a Selene pelo menos fizesse a parte dela, tudo seria muito mais fácil... Por que é que tudo nesta vida tem que ser tão doloroso, meu Deus?

Nesse momento, mais uma vez intuída por tia Geninha, ela pensou no depoimento de César no início do livro e sentiu vontade de voltar algumas páginas para relê-lo. Mais uma vez, Alberto acompanhou sua leitura, surpreso:

> *Parti para a espiritualidade bendizendo a doença que me proporcionara possibilidades de crescimento e iluminação interior. Vencera uma etapa. Dolorosa, porém muito produtiva. Aqueles meses que permaneci no leito compulsoriamente valeram por uma vida. Hoje sei que tudo deveria ser como foi. Estava previsto e programado. Tinha dezenove anos e ainda mal começara a viver. Deus, porém, é sábio e deu-me, não a felicidade que eu esperava, mas a dor de que precisava para progredir espiritualmente e saldar débitos antigos contraídos com a justiça divina.*[5]

– É... – disse Juliana, acreditando-se sozinha no quarto. – Tudo tem uma razão de ser... Se eu estou passando por tudo isso, é porque alguma coisa eu fiz numa outra vida para merecer perder meu pai com esta idade e ter uma mãe como a Selene... Não devo me revoltar. Já que estou aqui, o melhor é aproveitar ao máximo essa chance que Deus me deu de reencarnar e fazer todo o bem que estiver ao meu alcance... Nossa, deve ser horrível a gente morrer e descobrir que teve mil oportunidades de fazer o bem e não fez...

Sentindo-se, pois, consolada pelas próprias conclusões, ela retomou a leitura de onde havia parado anteriormente. Desta vez, contudo, Alberto não conseguiu acompanhá-la. O raciocínio da filha o havia tocado profundamente e ele não podia mais

---

5. *Op. cit.* Capítulo 1 – “Enfrentando a Realidade”, p. 13.

concentrar-se em outra coisa senão na torrente de reflexões que tomara conta de sua mente, após a última frase dita por Juliana.

Assim, iluminado pelos benfeitores espirituais que viram aquele momento de fragilidade de Alberto como uma excelente oportunidade para reconduzi-lo ao caminho do bem, ele passou quase uma hora recordando acontecimentos de sua última encarnação.

Lembrou-se do quanto valorizava o dinheiro acima de tudo, do quanto valorizara a si próprio e o seu trabalho de maneira egoísta ao longo de toda a sua existência. Sentiu, porém, certo alívio, ao pensar nas crianças de rua que ajudara. Lembrou-se também de todas as dificuldades por que passara na infância e na adolescência, da morte dos pais, da gravidez inesperada de Selene.

Em meio a todas essas lembranças, algumas perguntas não lhe saíam da cabeça. Juliana falara em débitos antigos. Teria ele também algum débito antigo que de alguma forma o houvesse condicionado a deixar a vida daquela maneira? Tudo o que ele estava passando poderia mesmo ter sido previsto com antecedência? De fato, a vida não se acabava. Tanto que ele estava ali, carregando os mesmos sentimentos e emoções, e até seu corpo parecia o mesmo, ainda que maltratado. Será que um dia nasceria novamente? E por que Xantipa o havia chamado de assassino? Já teria sido outra pessoa, antes de ser Alberto?

Nesse momento, também intuída por tia Geninha, Juliana interrompeu a leitura e fez uma sentida prece, sempre com o pensamento fixo nele:

– "Senhor Deus, não sei o estado em que se encontra meu pai neste momento. Mas, ainda assim, peço-lhe, de todo o coração, para que ele possa estar em paz com seus pensamentos;

para que ele entenda os motivos que o fizeram ir embora deste mundo tão cedo; para que se conforme e não se revolte. Senhor, fazei com que ele entenda que pode recomeçar tudo o que fez de errado, assim como essas pessoas deste livro. Que, onde quer que ele esteja, possa saber, possa ter a certeza de que eu o amo muito, de que sinto muitas saudades, e, acima de tudo, que estou sempre torcendo por ele..."

Alberto sentiu a forte vibração que emanava da oração de Juliana e chorou sentidamente por alguns instantes, confuso em seus pensamentos. Juliana também chorou por alguns instantes antes de conseguir concentrar-se de novo na leitura. Pouco tempo depois, no entanto, perfeitamente afinizado com a filha, ele voltaria a ouvir, sem qualquer esforço, tudo o que Juliana lia para si.

Satisfeitos, os bons espíritos presentes no local notaram que uma pequena fagulha de arrependimento começava a acender no coração de Alberto. Entregue a esse momento, ele prestava atenção a cada palavra mentalmente pronunciada por Juliana, que lia agora sobre um rapaz que, tal como o pai, também deixara a vida abruptamente, após um acidente:

> *O espírito do acidentado, em virtude da pancada na cabeça, encontrava-se desmaiado. Uma senhora de idade, de elevada condição espiritual, aproximou-se e, tomando o espírito nos braços, enlaçou-o com extremo carinho, protegendo-o das emanações deletérias do ambiente físico, onde as pessoas punham-se a gritar por socorro. Gladstone continuou aconchegado ao colo da senhora e acompanhou a remoção de seu corpo – ao qual se encontrava ainda jungido – até o hospital. Como não houvesse mais condição de vida orgânica, os técnicos em desligamento do plano espiritual desataram os laços que o mantinham ligado ao corpo e Gladstone,*

livre, foi transportado pela senhora a local de refazimento e assistência, ainda em estado de choque.[6]

Ouvindo isso, Alberto tapou os ouvidos, angustiado, mas não teve como conter as lembranças que lhe invadiram ainda mais bruscamente o pensamento, reconduzindo-o a um estado de desequilíbrio. Reviu a cena do atropelamento, seu despertar no hospital, a visita de dona Amaziles, ouviu a voz do doutor Márcio, dizendo: "*A morte não existe, a vida continua no plano espiritual*".

Seriam aquelas pessoas, que ele julgara loucas, os tais técnicos em desligamento a quem Juliana se referira? E por que ele não conseguia se lembrar dos detalhes que se sucederam ao momento imediato do atropelamento? Quem, afinal, o conduzira àquele hospital? Não, ele não queria voltar para lá. Vieram-lhe à mente então as palavras de Xantipa: "*Imagine que eles estão tramando ir ao tal centro com a dona Catarina. Lenita, João Vítor e até as crianças. Vão pedir aos bons espíritos para darem um jeito de levar você de vez...*" Não, ele não podia deixar que isso acontecesse. Precisava se afastar, o quanto antes, de Juliana e daquele livro, porém era como se uma força invisível o impedisse de sair do lugar. Xantipa estava certo. Tudo aquilo só poderia fazer parte de um plano para reconduzi-lo àquele hospício.

Só depois de muito esforço para se concentrar em seus pensamentos de ódio, Alberto conseguiu finalmente deixar o quarto da filha. Suas palavras, porém, continuavam ecoando dentro dele como um disco arranhado. Exausto, ele rumou então para o quarto de Lenita, mas sentiu seu ódio esmorecer novamente quando se deparou com a esposa dormindo abraçada ao filho,

---

6. *Idem.* Capítulo 13 – "Atividade Socorrista", pp. 57-58.

exatamente como no dia em que ele os vira pela última vez, quando ainda encarnado. Era como se tudo conspirasse para que ele se recordasse daquele trágico dia. Pensando nisso, logo voltou a sentir também os sintomas do enfarto.

Desnorteado de dor, procurou então o quarto vazio do filho e decidiu descansar um pouco até que todos se levantassem.

Capítulo 21

Enquanto isso, na casa de Selene, muitos segredos que Alberto não conhecia começavam a ser desvendados. Ainda dormindo, com o rosto encharcado de suor, ela revirava a cabeça de um lado para o outro. Sentado a seu lado, com olhos frios e maléficos, Xantipa conduzia as imagens que povoavam seu pesadelo.

Na soleira de uma casinhola pobre e escura, Selene, muito magra e usando um vestido vermelho, extremamente decotado, discutia com um homem desconhecido, muito parecido com Xantipa, porém mais jovem e asseado. O aspecto dela, no sonho, também era bastante diferente do atual. Tinha cabelos e olhos muito escuros, todo o seu corpo recendia a sexo.

– *Eu vim até aqui pedir perdão* – dizia o homem. – *Vim buscar você e minha filha. Estou disposto a esquecer todo o passado.*

– *Sua filha?* – respondia ela numa gargalhada despudorada. – *Pois fique sabendo que ela está muito longe daqui! Arranjei para ela um pai e uma mãe de verdade, um pai e uma mãe que vão dar a ela tudo o que eu jamais tive nesta vida, tudo o que você jamais foi capaz de me dar...*

– Você não pode estar falando sério... Eu amo você... Já disse, estou disposto a perdoar tudo, até mesmo aquele caso que você teve com o fazendeiro riquinho... Podemos recomeçar nossa vida e...

– Eu não estou brincando – tornou ela, decidida. *– E se quer saber, já tive e tenho muitos outros homens depois dele. Homens de verdade, que fazem com que eu me sinta como uma mulher de verdade!*

– Eu te amo... – insistiu o homem, em prantos, segurando-a pelos braços. *– Se quiser podemos ter outros filhos... Podemos buscar a nossa filha e...*

– Você é um imbecil ou o quê? – respondeu ela, soltando-se com rispidez. *– Será que não entende que eu tenho nojo de lembrar que um dia me casei com um matuto como você? Eu não te quero para nada, não quero mais filhos, só quero viver a vida que escolhi para mim. A vida que me restou depois que fiz a burrada de me casar com você...*

Nesse momento, o homem transfigurou-se e deu-lhe uma bofetada no rosto, dizendo:

– Sua porca! Então foi essa a vida que você escolheu? Pois muito bem. Fique sabendo que eu não vou te perdoar nunca. E eu que pensava em...

– Pensava! Se você tivesse a capacidade de pensar, não viveria nessa miséria em que você vive, não se contentaria com tão pouco, quando o mundo tem tanto a oferecer – enfrentou ela, valente.

– Leviana! Interesseira! Você ainda vai engolir todas essas suas palavras sujas... Ainda vai sentir na carne tudo o que está me fazendo passar... Eu te perdoei, mas você não quis o meu perdão. Agora eu te odeio e vou te perseguir pelo resto dos meus dias. Pelo resto dos meus dias, entendeu bem?

Ela bateu violentamente a porta na cara dele e pôs-se a chorar desconsolada no interior da casa, enquanto esmurrava o próprio útero, dizendo: "Eu também vou te odiar pelo resto dos meus dias..."

Deitado na cama, o corpo físico de Selene continuava a dormir, todavia, de tempos em tempos, de seus olhos brotavam lágrimas, provocadas pela emoção que sentia, em espírito, e ela soluçava como se efetivamente vivenciasse toda aquela situação de novo. Xantipa observava a cena passivamente, com um pequeno sorriso no canto dos lábios. Quando os soluços dela começaram a rarear, ele abriu a porta e chamou por Titânia, Uldarico e Carmona, que entraram em seguida:

– *Ela já, já vai acordar* – instruiu-os Xantipa. – *Quero que passe o dia inteiro se lembrando deste sonho, que ela encha a cara de desgosto e, no final da tarde, ligue para Juliana, entenderam bem?*

– *Sim, mestre* – concordaram as três entidades trevosas, sempre lideradas por Titânia.

– *Às seis horas em ponto ela deve ligar para Juliana, completamente bêbada, e implorar que ela venha para cá* – determinou Xantipa, despedindo-se.

Tão logo ele desapareceu, as três entidades postaram-se em torno de Selene, satisfeitas, e começaram a dizer-lhe palavras agressivas ao ouvido:

– *Cretina!* – bradou Uldarico.

– *Vagabunda!* – acrescentou Titânia.

– *Irresponsável!* – complementou Carmona.

E assim os três permaneceram até que Selene acordasse, completamente transtornada.

Capítulo 22

Horas mais tarde, quando Alberto acordou, encontrou Lenita e Juliana conversando animadas, enquanto tomavam seu café da manhã. Sentindo-se mais bem-disposto e decidido a encontrar uma oportunidade para fazê-las brigar, conforme prometera a Xantipa, sentou-se na cabeceira da mesa, tal como sempre fazia quando ainda estava encarnado, e pôs-se a prestar atenção na conversa das duas.

Juliana estava tão empolgada com o livro que ganhara de Paulo que não conseguia falar em outra coisa:

– Nossa, Lenita, você lembra daquele sonho que nós tivemos com o papai, logo que ele morreu?

– Aquele dia em que nós três sonhamos que ele estava num hospital?

Alberto arregalou os olhos, curioso, enquanto Juliana prosseguia entusiasmada:

– Esse mesmo. Pois nesse livro que eu estou lendo explica tudo. Papai devia estar mesmo num hospital se recuperando, naquela época, e nós três fomos visitá-lo em sonho.

– *Mentira! Nunca ninguém me visitou* – protestou Alberto. Desta vez, porém, nenhuma das duas pressentiu sua presença. Ambas estavam envoltas num halo de luz protetora e continuaram sua conversa:

– Mas que livro é esse de que você está falando, Ju? – quis saber Lenita.

– Este aqui – respondeu Juliana, mostrando-lhe a capa do livro – ganhei do Paulo, ontem. Nossa, mas é tão emocionante que eu nem consegui dormir de tanta vontade de saber tudo sobre o mundo em que vive o papai... Estou encantada, Lenita!

– Pelo livro ou pelo Paulo?

– Engraçadinha – respondeu Juliana, envergonhada –, eu estou falando do livro... Mas o Paulo também é muito legal – ela admitiu.

– Vocês estão namorando?

– Ainda não, quer dizer...

Ouvindo isso, Alberto não se conteve e partiu para cima de Juliana:

– *Namorando? Quem você pensa que é para falar em namoro?*

A três passos de Juliana, porém, ele foi repelido pela forte luz que a circundava e quase caiu no chão, devido ao impacto.

– *Quem foi que me empurrou?* – gritou Alberto aborrecido, olhando para os lados.

Com todo o cuidado, ele tentou novamente chegar perto de Juliana, mas não conseguiu. Era como se ela estivesse rodeada por um escudo protetor. Tentou então aproximar-se de Lenita, e o mesmo aconteceu. Muito desconfiado, decidiu ficar onde estava e manter-se atento à conversa das duas.

– Já que você não quer falar do Paulo, então me conte mais sobre o livro – propôs Lenita.

– Ah, Lenita, tem tanta coisa que eu nem sei por onde começar... O mais legal que eu descobri é que existem muitos jovens por lá, e alguns moram juntos, numa espécie de república... Lá na colônia do plano espiritual, todos trabalham, ninguém vive à toa e...

– República? Mas e as famílias? – quis saber Lenita.

– As famílias continuam na Terra, assim como a nossa. Alguns jovens têm avôs, avós e tios que se foram antes deles, mas não é sempre que todos habitam a mesma colônia. Além disso, no mundo espiritual vigora a lei da afinidade e da simpatia. É assim que as pessoas se agrupam, e não de acordo com os laços de sangue, como aqui – explicou Juliana.

– Colônia? – voltou a perguntar Lenita, tonta com tantas informações.

– Sim, existem várias no plano espiritual, são como as cidades aqui na Terra – continuou Juliana empolgada. – Existem também os postos de socorro, locais próximos à crosta, que recebem os recém-desencarnados vindos do planeta. Céu Azul, o lugar onde vive o autor do livro, na verdade, é um desses postos de socorro, que cresceu tanto que acabou se tornando uma pequena cidade.

Tão surpreso quanto Lenita, Alberto acompanhava as explicações da filha, desconfiado. Para ele, as únicas cidades que existiam eram as da Terra e o plano espiritual se resumia àquele hospital, que teimava em continuar chamando de hospício, e à região fétida onde vivia Xantipa. Lenita, porém, parecia convencida de tudo o que a enteada dizia:

– Nossa, Ju. Acho que de agora em diante vou ter que ler um bocado sobre esses assuntos para poder me entender com você...

– Ah – lembrou Juliana, enquanto passava manteiga no pão –, e você nem imagina o que o Paulo me ensinou ontem, na sorveteria. Sabia que a gente pode mandar flores para o papai?

– Flores? – espantou-se Lenita.

– É, basta a gente escolher um vasinho e cuidar dele sempre pensando no papai. Pensando que a gente quer que ele esteja bem, que ele se recupere depressa, que ele não esqueça nunca o quanto nós gostamos dele. Daí os bons espíritos fazem uma cópia do vasinho, de um material bem delicado, e levam lá para onde ele estiver. Não é o máximo?

– Engraçado – comentou Lenita, pensativa, parece que já ouvi essa explicação em algum lugar...

– Sabe que eu também tive essa mesma sensação quando o Paulo me disse isso? – confessou Juliana, enquanto terminava de engolir um pedaço de pão. – E que tal se a gente tentasse?

Vendo a harmonia entre as duas e o carinho que demonstravam por ele, Alberto não pôde deixar de sentir uma leve comoção. Acima de tudo, porém, mais uma vez estava curioso para entender o que Juliana estava falando e seguiu as duas até a sala.

Ambas se aproximaram do vaso de flores amarelas sobre a mesa, as quais haviam sido podadas recentemente por Lenita, e começavam a abrir seus primeiros novos botões:

– Que tal estas? – propôs Juliana.

– Ótima ideia. Seu pai adorava flores amarelas!

Só então Alberto recordou-se do vaso de flores que havia ao lado de sua cama no hospital. Quem as teria mandado? Enquanto isso, as duas seguraram o vaso e começaram a pensar nele com todo o carinho:

"Alberto, onde quer que você esteja, quero que saiba que eu sempre o amarei muito" – pensou Lenita.

"Papai querido, tomara que tenha muitos médicos bondosos em volta de você, fazendo de tudo para que se recupere bem depressa. Tenha força, nós te amamos muito" – pensou Juliana.

Embora ambas estivessem de olhos fechados, falando apenas mentalmente, suas frases chegavam a Alberto como se estivessem sendo ditas em voz alta, tocando-lhe as fibras mais íntimas do coração. Ele não se conteve e pôs-se a chorar. Embora não pudesse perceber, tia Geninha estava ao seu lado, segurando nas mãos o vaso plasmado por Lenita e Juliana.

– Foi bom que você tenha tocado neste assunto, Juliana – disse Lenita, recolocando o vaso sobre a mesa. – Estou realmente preocupada com seu pai...

– Você acha que ele não está bem?

– Dona Catarina conversou muito comigo ontem. Ela acha que seu pai não está onde deveria estar...

– Ela disse isso? – assustou-se Juliana. – Mas como é que ela sabe?

– Dona Catarina é médium. Ela diz que seu pai está por aqui, talvez até nesta sala, conosco...

– Meu Deus – disse Juliana, emocionada, lembrando-se mais uma vez do livro. – Mas isso deve ser horrível para ele, precisamos fazer alguma coisa para ajudá-lo...

Alberto não conseguia parar de chorar. Lenita sentiu uma pontada no peito.

– Não sei por que, mas tenho a sensação de que ele realmente não está bem... – disse ela, apertando o coração.

– E o que a dona Catarina acha que devemos fazer?

– Ela nos convidou para irmos ao centro com ela esta noite. Disse que, se seu pai estiver mesmo conosco, poderá receber ajuda lá...

– *Não, isso não* – dizia Alberto, chorando. – *Por favor, Lenita, se você me ama, não faça isso comigo...*

– Excelente ideia, Lenita – tornou Juliana. – Eu vou com você. A que horas é a sessão?

– Às oito. Dona Catarina ficou de nos encontrar na porta às sete e meia. Mas... – titubeou ela, inconscientemente sensibilizada pelos insistentes apelos de Alberto. – Será que deveríamos mesmo mexer com isso?...

– É pelo bem dele, Lenita, acredite em mim – garantiu Juliana, intuída por tia Geninha. – Vamos fazer o seguinte... Por que a gente não liga para o tio João Vítor e pede para ele ir conosco? Ele também era tão ligado ao papai...

– Nossa, Juliana, eu ia falar exatamente isso com você. Que coisa incrível, parece até que nós duas estamos pensando com uma cabeça só...

Alberto estremeceu. Estava realmente confuso. Como elas podiam amá-lo tanto e ao mesmo tempo preocupar-se com João Vítor?

Enxugou as lágrimas e pôs-se novamente a ruminar sua revolta íntima. Não. Elas não iriam ao centro. E muito menos com João Vítor. Ele não deixaria. Mas o que fazer se ele não conseguia sequer se aproximar das duas e intuí-las, como estava acostumado?

– Dona Catarina me disse, inclusive, que há um grupo de jovens que toma conta das crianças – continuou Lenita. – Assim, podemos também levar o Lipe...

– Por falar nisso, cadê o Lipe? – perguntou Juliana.

Só então Lenita se deu conta de que já passava das dez horas e Felipe ainda não se tinha levantado. Sempre seguidas por Alberto, as duas correram para o quarto e encontraram o menino ardendo em febre.

– Meu Deus! Ele está com quase quarenta graus de febre – exclamou Lenita, verificando o termômetro. – O que faremos?

– Eu vou ligar para o tio João Vítor – decidiu Juliana.

Alberto pensou em impedi-la, mas não teve coragem de sair do quarto. Embora soubesse que a doença do filho era apenas um estratagema tramado por Xantipa a fim de impedir que a família saísse de casa naquele dia, ver Felipe naquele estado o fazia sentir-se culpado. Aproximou-se do menino e segurou-lhe a mãozinha com força, dizendo:

– Não se preocupe, filho, o papai está aqui...

Para sua surpresa, Felipe, que delirava, sentiu sua presença e respondeu:

– Papai... Eu não vou deixar mais aquele homem mau bater em você...

– Fique calmo, Felipe. Ninguém mais vai bater no papai – disse Alberto, emocionado. – *Eu vou ficar aqui até você ficar bom.*

Felipe sorriu para ele e adormeceu.

– Juliana, depressa! Felipe está delirando! – gritou Lenita.

– Ele disse que está vindo para cá com um médico – informou Juliana, voltando para o quarto. – Não seria melhor a gente dar um banho nele?

– Ele falou algumas coisas estranhas sobre seu pai, como se estivesse mesmo falando com ele, depois apagou – disse Lenita, chorando.

– Ai, papai – tornou Juliana, também chorando. – Se você estiver aqui, ajuda a gente... Não deixa nada de ruim acontecer com o Lipe...

Alberto andava de um lado para o outro sem saber o que fazer. Deveria procurar Xantipa? Não, ele certamente não atenderia a seu pedido. E como Felipe poderia saber da surra que levara na noite anterior? Talvez fosse apenas um delírio do menino, uma coincidência. Sim, só podia ser isso. Mas então por que Felipe sorrira para ele? Pensando bem, era melhor que João Vítor chegasse o quanto antes com um médico. Talvez fosse preciso levar o menino para um hospital, fazer qualquer coisa para tirá-lo da mira de ação de Xantipa. Decididamente, ele não permitiria mais que ninguém, por motivo algum, fizesse mal a seu filho. Felipe era ainda tão indefeso...

Lenita e Juliana tiravam Felipe do banho quando João Vítor chegou, acompanhado do médico e de Xantipa. Só então Alberto se lembrou de que Xantipa encarregara-se de acompanhar João Vítor ao longo de todo aquele dia. Procurou pensar rápido antes que ele se aproximasse. Sabia que não teria como enfrentá-lo frontalmente. Neste caso, Xantipa poderia aprisioná-lo de novo naquela horrível caverna, e aí, mesmo que quisesse, não teria nenhum meio de ajudar a família. Felipe poderia até desencarnar enquanto isso. Não, Alberto não queria isso para o filho. Por mais que desejasse tê-lo a seu lado, não queria que o pequeno Lipe tivesse que passar por tudo o que ele estava passando. Convicto disso, Alberto decidiu então fingir estar de acordo com o que fora previamente combinado, de maneira a ganhar tempo para encontrar alguma solução.

– Ele continua ardendo em febre – disse Lenita, ansiosa, ao ver-se diante de João Vítor e do médico.

João Vítor tomou o menino nos braços com todo o carinho e o levou para a cama, dizendo:

– Ô, meu garoto... Procure ficar calmo. O tio João Vítor está aqui e não vai deixar nada de ruim acontecer com você...

– O papai... – respondeu Felipe, em seu delírio – O papai está aqui...

– Não, eu não sou o papai – tornou João Vítor, emocionado. – Com certeza o papai também deve estar preocupado com você. Mas, já que ele não pode estar aqui agora com você, eu vou fazer de tudo para que você fique bom depressa...

Neste momento, Alberto não pôde evitar que uma pontada de arrependimento espocasse fortemente em seu peito. Pela primeira vez, desde que desencarnara, reconheceu em João Vítor o irmão que o acompanhara ao longo de toda a sua existência. Seus pensamentos, porém, foram interrompidos pela voz de Xantipa, que se aproximou dele, irritado, enquanto o médico examinava o garoto:

– *Grande palhaçada... O menino tem apenas uma febrezinha de nada... Mas é melhor que fiquem todos preocupados. Que faltem ao trabalho, ao centro e a todas as suas obrigações!* – disse, soltando uma gargalhada. Alberto não conseguia tirar os olhos do médico que examinava Felipe. Xantipa percebeu sua apreensão e não gostou: – *Escute aqui, camarada. Você está se deixando emocionar por esta cena ridícula ou é impressão minha?*

– *Não* – rebateu Alberto, procurando disfarçar seus sentimentos. – *Gostaria apenas que não fosse nada grave...*

– *Não estou gostando nada desse seu ar consternado. Você fez as* duas *brigarem como combinamos?*

– *Fiz* – mentiu Alberto –, *porém elas se esqueceram de tudo quando viram o menino doente...*

– *As coisas também não estão muito fáceis do meu lado. Selene é fácil de influenciar, mas este seu amiguinho borra-botas... Não escuta nada do que eu sugiro. Acordou com ideia fixa na bondade de Deus! Agora vê se pode! Não consigo nem me aproximar dele direito!*

Ouvindo isso, Alberto lembrou-se de que Juliana e Lenita também pareciam estranhamente protegidas naquele dia e teve uma ideia:

– Escute, Xantipa, estive pensando. Ficar aqui e atacar minha família é muito difícil para mim. Preferia tomar conta do João Vítor. Você sabe que ele escuta todos os meus pensamentos com facilidade. Poderíamos trocar de atribuições e assim eu não correria risco de me emocionar vendo Felipe doente...

– Até que você está ficando inteligente, camarada – disse Xantipa, gostando da ideia.

O que Xantipa não imaginava era que Alberto, na verdade, planejava convencer João Vítor para que levasse Felipe ao tal centro espírita o quanto antes, a fim de livrá-lo das energias maléficas de seu comparsa. Embora não acreditasse muito naquelas histórias de bons espíritos, algo dentro dele lhe dizia que só alguém acostumado a lidar com espíritos poderia afastar Xantipa de sua família. Estava muito preocupado com o filho. Tão preocupado que mudara até sua maneira de pensar. Depois de assistir ao que Xantipa e aquelas entidades haviam feito com Selene e de ver o filho delirando daquele jeito por influência deles, temia que pudessem matar o pequeno com suas crueldades. Por isso, como pai, estava disposto até a sacrificar sua liberdade pelo bem do menino. Ainda que fosse preciso voltar àquele hospital para que sua família tivesse sossego. Vendo Alberto tão quieto e pensativo, Xantipa tentou ler seus pensamentos, mas, pela primeira vez, não conseguiu.

– O que é que você está pensando que eu não consigo escutar? – bradou ele, irritado.

– Nada... – disfarçou Alberto. *– Estava apenas me lembrando do hospital onde estive, logo que...*

– Está querendo levar o garoto para lá? – gargalhou Xantipa. *– Ainda não está na hora, mas, se você quiser, podemos dar um jeitinho...*

– *Não!* – gritou Alberto. – *Eu apenas...*

Os dois interromperam a conversa para ouvir o parecer do médico sobre a doença de Felipe:

– É uma virose. A garganta é que parece muito inflamada. O ideal é que ele passe o dia em repouso.

– Graças a Deus – comemorou Lenita, abraçando Juliana.

Alberto também respirou aliviado.

– E o senhor não vai passar nenhum remédio? – quis saber João Vítor.

– Apenas um antibiótico para conter a inflamação e um antitérmico para abaixar a febre – respondeu o médico, já prescrevendo a receita. – Amanhã ele estará novo em folha!

– Vou ligar agora mesmo para o trabalho, avisando que não poderei entregar as revisões hoje – disse Lenita.

– E eu vou faltar à escola para ficar aqui com vocês – disse Juliana.

– Bom, eu não posso deixar de dar pelo menos uma passada no escritório, mas volto assim que puder – completou João Vítor.

– Não se preocupe, João – respondeu Lenita agradecida. – Pode deixar que eu e a Juliana damos conta do recado. Qualquer coisa a gente te liga...

– Tem certeza? – perguntou João Vítor, preocupado. – Então eu vou descer para buscar os remédios, a gente espera um pouco para ver se a febre cede, e depois eu vou, está bem assim?

Alberto começava a se sentir envergonhado. As palavras de João Vítor eram sinceras, em nenhum momento ele demonstrara estar ali motivado somente por algum interesse por Lenita. Com medo de que Xantipa percebesse seus pensamentos, disse que esperaria na sala até que João Vítor saísse para o trabalho, ao que Xantipa, preocupado em encontrar uma maneira para desarmonizar o ambiente, não opôs nenhuma resistência.

Sozinho na sala, Alberto lembrou-se de tia Geninha e decidiu pedir-lhe auxílio:

"*Tia Geninha, não posso vê-la, mas sei que a senhora está aqui. Por favor, peço-lhe, de todo o meu coração, que reforce a proteção de Juliana e de Lenita; que não deixe que nenhum mal possa atingi-las. Cuide também de meu filho. Eu sei que pode fazer isso e confio na senhora. Em troca, prometo que não farei mais nenhum mal a João Vítor e que até serei capaz de voltar para aquele hospital, se a senhora conseguir livrar minha família da influência de Xantipa*".

Assim que ele acabou a prece, Geninha se fez visível diante dele e o instruiu:

– *Fique tranquilo, meu filho. Fico feliz que esteja começando a enxergar as coisas de uma maneira mais racional.*

– *Ainda estou muito confuso, mas não consigo mais sentir a mesma raiva de antes. Na verdade, estou até me sentindo um pouco fraco por isso...* – admitiu Alberto.

– *Pois então fortaleça-se, porque vamos precisar muito de sua ajuda* – disse ela.

– *O que eu devo fazer?*

– *Convença João Vítor a ir ao centro com Lenita esta noite.*

– *Eu já pensava em fazer isso. E quanto a Felipe? A senhora acredita mesmo que ele possa melhorar indo a esse tal centro?*

– *Não se preocupe. Eu cuidarei de tudo. E mantenha-se atento: não deixe que Xantipa perceba, em hipótese alguma, suas verdadeiras intenções. Continue agindo como está.*

Dizendo isso, tia Geninha desapareceu. Poucos instantes depois, a campainha tocou. Juliana correu a atender, pensando que fosse João Vítor voltando da farmácia, e teve novamente uma grata surpresa: era Paulo. Ele trazia nas mãos um exemplar de *O Evangelho Segundo o Espiritismo.*

– Minha mãe me falou sobre o problema do seu irmãozinho – disse ele –, e achei que talvez vocês estivessem precisando de alguma ajuda...

– Nossa, Paulo... – exclamou Juliana, admirada. – E como é que ela soube?

– O João Vítor ligou para o escritório, avisando por que iria chegar atrasado e aí...

– Ela te avisou – sorriu Juliana. – Que bom que veio!

Um pouco incomodado, Alberto viu quando Juliana puxou Paulo pela mão, satisfeita, e o conduziu para o interior da casa. Mas não conseguiu sentir raiva. O olhar de Paulo para sua filha era tão amigo, tão puro... Por outro lado, não havia como negar o brilho dos olhos de Juliana no momento em que dera com o rapaz na porta. De fato, Juliana já era uma moça e, mais cedo ou mais tarde, iria se apaixonar por alguém. Alberto conhecia Paulo e, no fundo, sabia que era um bom rapaz. Além do mais, ele sabia que Lenita e Juliana precisariam de muita ajuda naquela tarde para resistir aos apelos maléficos de Xantipa. Sim, talvez fosse bom que Paulo estivesse lá para ajudá-las.

Foi pensando assim que, meia hora mais tarde, Alberto deixou a casa com João Vítor e rumou com ele para o escritório, ciente de que tinha uma missão a cumprir naquela tarde, da qual dependeria a segurança de seu lar e de sua família.

Capítulo 23

Selene acordou extremamente angustiada naquele dia. A todo momento lembrava-se de seu horrível pesadelo e sentia que ele tinha uma ligação maior com a realidade do que os sonhos comuns. Embora achasse que não era ela a moça do sonho, alguma coisa lhe dizia que a criança mencionada pelo homem era Juliana e que a filha corria perigo naquele momento. Ao mesmo tempo que sentia vontade de ligar para saber de Juliana, estranhos pensamentos invadiam-lhe a mente.

– *Você nunca seria capaz de ser amiga de Juliana* – sugeria-lhe Titânia, só para provocá-la.

– *Você não tem que ser amiga de Juliana. Você tem é que trazê-la para cá, obrigá-la a viver sob o mesmo teto que você, ainda que ela não queira* – completava Uldarico.

– *Pense na pensão que poderia receber se cuidasse de Juliana. Se ela sofrer com isso, não importa. Ela nunca ligou mesmo para você, por que se preocupar com ela?* – instigava Carmona.

Assim, Selene passou a manhã oscilando entre a preocupação e a raiva de Juliana. Sua cabeça doía e tamanha era a afinidade que ela experimentava com aqueles espíritos trevosos que estes não tiveram a menor dificuldade em convencê-la a fazer uso de alguma bebida com a desculpa de "acalmar os ânimos", ainda que não tivesse tomado sequer o seu café da manhã, mantendo-se ainda com o organismo totalmente em jejum.

Consequentemente, em pouco tempo, ela já não se recordava de nada de sua conversa com João Vítor no dia anterior e entregava-se a maquinações absurdas, como a de casar Juliana com o filho de um rico empresário que ela conhecera recentemente e tirar o máximo de proveito do dinheiro e do sobrenome dos quais a filha desfrutaria com esse casamento.

Uldarico, Titânia e Carmona exultavam. Odiavam Selene e também não simpatizavam em nada com Juliana, de quem, no fundo, morriam de inveja. Não viam a hora de vê-las reunidas, discutindo e sofrendo muito, como era também o desejo de Xantipa.

Este, porém, não experimentava a mesma satisfação das entidades trevosas lideradas por ele. Por mais que tentasse, não conseguia sintonizar-se com as ideias de Lenita e Juliana. As duas estavam tão entrosadas que ele já começava a desconfiar da mentira de Alberto. Afinal, nada indicava que tivessem tido a menor contrariedade antes de descobrirem a doença de Felipe.

A presença de Paulo no ambiente também o incomodava sobremaneira. Não bastasse o fato de um escudo invisível o impedir de aproximar-se do rapaz, este sentara-se ao lado de Felipe, envolvendo-o também com seu halo protetor, o qual repelia instantaneamente todas as vibrações maléficas que lhe eram enviadas por Xantipa.

Não contente, Paulo ainda abrira um estranho livro desconhecido por Xantipa – *O Evangelho Segundo o Espiritismo* –, cujas páginas emitiam a mesma energia luminosa que emanava do rapaz, como se estivessem impregnadas da força moral de seu caráter. Sentindo-se extremamente aborrecido com aquilo, Xantipa queria sair dali, mas seu corpo não lhe obedecia. Na verdade, tia Geninha, em pé atrás dele, o havia magnetizado para que não pudesse deixar o local. Assim, sentindo-se tolhido por aquele magnetismo, acabou sendo obrigado a prestar atenção às palavras que Paulo dizia, mesmo contra a sua vontade:

> *O amor é de essência divina. Desde o maior até o menor, todos vós possuís, no fundo do coração, a chama desse fogo sagrado. É um fato que já haveis constatado muitas vezes: o pior dos homens, o mais perverso, o mais criminoso, tem, por um ser ou por um objeto qualquer, uma afeição viva e ardente, à prova de tudo que tente diminuí-la e muitas vezes adquirindo proporções admiráveis.*[7]

– Nossa, Paulo. Que coisa bonita – comentou Lenita.

– Sim – complementou Juliana –, eu li que o amor verdadeiro, como o de um pai por uma filha, por exemplo, jamais se acaba, mesmo com a morte do corpo. Por meio do amor forte e sincero, os dois sempre se mantêm unidos, trocando pensamentos de coragem, incentivo e alegria.

– Eu também amo o meu pai Alberto e o meu tio João Vítor, que também é meu pai – disse, para surpresa de todos, Felipe, despertando já sem febre. Lenita e Juliana pularam sobre o menino, enchendo-o de beijos, enquanto Paulo, também alegre, retomava a palavra:

---

7. *O Evangelho Segundo o Espiritismo*. São Paulo, Petit Editora, Capítulo 11, item 9.

– Só que muitas pessoas, apesar de amarem muito, amam errado, pois não admitem que aquelas pessoas que amam possam amar também outras pessoas, como diz aqui, na continuação daquele trecho que eu li:

> *Para algumas pessoas, a prova da reencarnação é inaceitável e causa horror, por acharem que outros participarão de afetuosas simpatias das quais são ciumentas. Pobres irmãos! O vosso afeto é que vos torna egoístas. Vosso amor é limitado a um círculo íntimo de parentes ou de amigos e todos os demais são indiferentes para vós. Pois bem! Para praticar a lei de amor tal qual Deus a estabelece, é preciso que passeis progressivamente a amar todos os vossos irmãos indistintamente.*[8]

Por mais que se sentisse irritado com aquelas palavras, Xantipa não conseguia evitar que certas lembranças lhe viessem à mente, como que despertadas por aqueles ensinamentos. Sobretudo quando olhava para Juliana sorrindo, não podia deixar de pensar o quanto a amara um dia, como filha, o quanto perambulara à sua procura, por anos a fio, até encontrá-la numa fazenda distante, sob os cuidados daquele mesmo espírito que agora se dizia seu pai: Alberto.

Embora Xantipa o odiasse por ter sido ele o causador de sua grande desgraça familiar, como primeiro amante daquela que outrora fora sua mulher e agora se chamava Selene, sabia que tinha para com Alberto uma dívida de gratidão, já que este jamais lhe negara o direito de visitar sua filha quando quisesse. Juliana, porém, nunca o reconhecera como pai, tendo-o sempre tratado

---

8. *Idem, ibidem.*

com desprezo e antipatia, por não querer se lembrar de suas verdadeiras origens. De fato, fora por ciúmes que ele passara a odiá-la.

Em seu íntimo, porém, jamais conseguira sentir por ela a mesma raiva que sentia de Selene. Ao contrário, ainda que se mantivesse firme em seus propósitos de vingança, sempre sentia certo prazer ao vê-la, e até mesmo certo orgulho de saber que ela era sua filha. Na cabeça de Xantipa, que havia parado no tempo em função de seus rancores, nada havia mudado com a reencarnação daqueles personagens que povoavam o seu passado: Juliana continuaria sendo para sempre a sua filha ingrata, e Selene, a sua esposa infiel. À sua maneira, ele amava as duas, ao mesmo tempo em que as odiava. Xantipa só despertou de seus pensamentos quando ouviu uma inesperada frase de Felipe, que o deixaria ainda mais confuso:

– Paulo, será que um dia eu vou conseguir gostar também daquele moço mau que maltrata o meu pai?

Juliana e Lenita se entreolharam intrigadas, mas Paulo fez um sinal para que se aquietassem e, inspirado pelos benfeitores espirituais que se encontravam no local, respondeu serenamente:

– Sabe, Felipe, às vezes as pessoas fazem maldades porque estão muito machucadas, muito feridas, achando que nunca foram amadas de verdade por ninguém. Nós, que somos muito amados, devemos ter pena dessas pessoas e orar para que um dia elas descubram que possuem o maior amor do mundo, que é o amor de Deus, e que esse amor dá a elas a oportunidade de apagar todas as maldades que elas fizeram, por meio da prática do bem.

– Então eu vou rezar muito e com bastante amor para aquele moço, para que ele fique sendo uma pessoa bondosa, e também vou rezar pedindo para que o meu pai Alberto também perdoe esse moço – disse Felipe, convicto.

Suas palavras sinceras e infantis tocaram fundamente o coração de Xantipa, que se encolheu num canto, envergonhado. Afinal, nunca ninguém demonstrara tanta consideração por ele. Como aquele garoto, a quem há pouco ele prejudicara, podia referir-se a ele com tanto carinho?

Capítulo 24

Enquanto isso, no escritório, Alberto sentia-se também cada vez mais constrangido diante dos atos de João Vítor. Em reunião com o senhor Fernandez e os donos da emissora que havia encomendado as pesquisas, João Vítor fazia questão de elogiá-lo a cada momento, exaltando seu enorme empenho na elaboração daquele novo método, sua inestimável contribuição naquele projeto. Eram tão grandes o respeito, a consideração e a admiração com que João Vítor o tempo todo se referia ao amigo que, caso não o tivesse visto trabalhando sem parar por meses a fio, o senhor Fernandez poderia até imaginar que ele apenas tivesse se beneficiado do dito projeto – o que não era verdade, já que João Vítor, com sua experiência no ramo, havia aprimorado bastante o trabalho que, afinal, fora apenas iniciado por Alberto.

Após a reunião, João Vítor trancou-se em sua sala e dirigiu comovido pensamento a Alberto:

"Quero que saiba que esta vitória é sua! Hoje, finalmente, consegui que todos na empresa reconhecessem o grande homem, o grande profissional, que eles perderam. Tomara que você esteja tão feliz quanto eu por tudo isso!"

Em perfeita sintonia com João Vítor, Alberto escutou integralmente sua mensagem e respondeu sensibilizado:

– *Eu é que agradeço, João. E te peço desculpas por um dia ter pensado mal de você.*

João Vítor sentiu as energias positivas emanadas por Alberto e imediatamente seus olhos se encheram de lágrimas:

– Ah, Alberto... – disse ele, sentido –, como eu tenho saudades das nossas longas conversas...

Embora também emocionado, Alberto não perdeu tempo e aproveitou a sintonia:

– *Felipe! Você precisa ligar para saber de Felipe!*

João Vítor captou-lhe os pensamentos e pegou o telefone no ato, dizendo para si, enquanto discava:

– Meu Deus! Preciso saber como está Felipe!

Foi Lenita quem atendeu:

– João? Sim, ele melhorou... Mas estou sentindo uma coisa tão estranha, parece até que tem uma tristeza rondando o quarto... Não sei se estou ficando maluca, mas acho que o Alberto está aqui!

Colado ao telefone, Alberto ouviu o desabafo de Lenita e preocupou-se. Sabia que era à influência de Xantipa que ela estava se referindo. Concentrou-se em João Vítor e sugeriu:

– *Centro! Você quer ir ao centro espírita esta noite, com dona Catarina. Convide Lenita!*

Sem sequer atinar direito com o que dizia, João Vítor repetiu quase que integralmente as palavras de Alberto:

– Sabe, Lenita, estou com muita vontade de ir até um centro espírita esta noite. Dona Catarina me falou muito sobre esse lugar e... Você não gostaria de ir comigo?

– Que coisa incrível! – respondeu Lenita, do outro lado da linha – Eu estava pensando em te fazer este mesmo convite esta manhã, tinha até comentado com a Juliana, mas aí o Felipe apareceu com aquela febre e...

– A dona Catarina também falou com você? – surpreendeu-se João Vítor.

– Sim – respondeu Lenita –, ela esteve aqui ontem e nós conversamos muito. Confesso que fiquei impressionada com tudo o que ela me disse...

– *Insista!* – pediu Alberto.

– Então você aceita? – obedeceu João Vítor.

– Claro que aceito – confirmou Lenita. – O Paulo, que está aqui até agora, disse que nós podemos levar o Felipe, que vai ser muito bom para ele tomar um passe no centro. Agora, por favor, não se atrase. Dona Catarina ficou de nos encontrar no portão às sete e meia.

– Então eu passo aí, por volta das seis e meia, para buscar vocês, está bem assim? – propôs João Vítor.

Só depois de desligar o telefone, ele se deu conta do que havia acabado de combinar:

– Que coisa engraçada... Eu não estava pensando em nada disso... De onde será que eu tirei essa ideia?

Alberto respirou aliviado e decidiu aproveitar a sintonia para pedir um café:

– *Café! Você está com muita vontade de tomar um café!*

O doutor Márcio, que, desde que Alberto se lembrara do hospital naquela manhã, permanecera todo o tempo ao lado dele para impedir que ele tivesse outra recaída, não pôde deixar de sorrir. Segundos depois, dona Catarina entrava com o café pedido por João Vítor.

– Vejo que também está começando a ficar viciado em café – brincou ela.

– Se eu dissesse à senhora que não tenho normalmente vontade de tomar café, que não gosto de café, porém, neste momento, estou sentindo um desejo incontrolável, fora do comum, de experimentar este seu café, a senhora acreditaria? É uma coisa inexplicável, não consigo entender... Aliás, tantas coisas estranhas andam acontecendo por aqui... – comentou João Vítor, confuso.

– Acho que se eu lhe explicasse, você é que não entenderia – atalhou ela. – Pelo menos por enquanto. A propósito, como está Felipe?

– Acabei de falar com Lenita, ele melhorou, porém ela está cismada que Alberto, em espírito, está lá com eles... Engraçado, eu não sinto isto... Mas... A senhora acha que o Alberto teria coragem de fazer o filho ficar doente?

– De maneira alguma! Alberto era louco por aquele menino. Além do mais, ele não está lá.

Ouvindo isso, Alberto parou de aspirar o café e sorriu feliz.

– Sabe que eu também sinto isso? Mas como a senhora pode dizer isso com tanta segurança? – quis saber João Vítor, antes de tomar mais um pouco de sua xícara.

– Um dia você também vai poder, escute o que estou lhe dizendo. É só uma questão de treino – sorriu dona Catarina.

"Será que ela pode me ver aqui?", pensou Alberto.

– O que eu sei é que quando a senhora quer uma coisa, não há nada que a faça mudar de opinião, não é mesmo? Eu e Lenita combinamos de ir ao centro com a senhora, hoje à noite. Satisfeita? – João Vítor brincou, antes de virar o último gole de café.

– Isso é uma ótima notícia! Fico feliz por vocês. Sinto-me bem naquela casa; tenho certeza de que lá encontrarão muitas respostas que procuravam há tempos... – ela previu, otimista.

João Vítor parecia um pouco distante quando ela disse isso.

– Sabe, ontem, visitando uma amiga, eu lembrei muito da senhora – ele finalmente comentou. – Aliás, a senhora sabe quem é, a Selene, mãe de Juliana...

– Como sei... Ela é minha vizinha há muitos anos. Coitada, é uma pessoa que precisa muito de ajuda...

– A senhora acredita que até rezar eu rezei quando estava lá?

– Fez muito bem, João Vítor. A prece sincera, além de nos aliviar o coração, sempre atrai a proteção de espíritos superiores.

– Sabe que eu realmente senti um alívio incrível na hora em que acabei de orar? O clima estava pesadíssimo, mas, no momento em que eu concentrei meu pensamento em Deus, a própria Selene se modificou, não sei explicar...

Alberto se mantinha atento à conversa. Nunca ouvira falar nesses "poderes mágicos" da oração, mas lembrou-se de seu encontro com tia Geninha naquela manhã e começou a achar que tudo aquilo que dona Catarina dizia – e que ele sempre se negara a ouvir – realmente fazia algum sentido.

– Mas não se iluda, João Vítor – alertou dona Catarina. – Por muitas vezes já estive na casa de Selene, levando-lhe palavras de consolo, ensinando-lhe a orar. Mas ela, infelizmente, ainda não está preparada para beneficiar-se desses ensinamentos. Prefere a companhia de espíritos ainda muito fortemente ligados à matéria, assim como ela...

Alberto recordou que, de fato, o próprio Xantipa já havia comentado com ele o quanto era simples estabelecer uma ligação com Selene. Lembrou-se também da facilidade com que aquelas três entidades trevosas conseguiam se comunicar com ela e da dificuldade que ele próprio experimentara naquela manhã ao tentar aproximar-se de Juliana e Lenita. "*Sim, provavelmente elas deveriam estar sintonizadas com os tais espíritos superiores*", deduziu.

– E nós não podemos fazer nada para ajudar Selene? – quis saber João Vítor, mais uma vez afinizado com os pensamentos de Alberto.

– Olha, João Vítor – ponderou dona Catarina –, dificilmente se pode fazer alguma coisa por alguém quando este alguém não crê estar precisando de ajuda... Para poder receber a ajuda, é preciso, antes de mais nada, querer, desejar esta ajuda.

– A senhora tem razão... – avaliou João Vítor. – Selene parece mais interessada em outro tipo de ajuda...

– É uma questão de evolução, João Vítor. Existem pessoas que só consideram como metas importantes a atingir nesta vida o sucesso financeiro, simbolizado por posses, posições, satisfações físicas e materiais. Outras, mais desprendidas, já conseguem ter uma visão mais abrangente, mais espiritualizada, enxergando a paz, o amor, a alegria, a felicidade, a fé como os maiores tesouros que Deus pode nos conceder, verdadeiros valores que viemos aqui para aprender a cultivar...

Tanto João Vítor quanto Alberto ficaram a refletir sobre as palavras de dona Catarina.

– Quanto a Selene, não se preocupe – replicou a boa senhora –, o tempo é um santo remédio. Ele cura todas as feridas. Assim, um dia, quando você menos esperar, Selene também encontrará o seu caminho...

– Eu só espero que hoje, quando sair desse centro, eu consiga entender pelo menos metade das coisas que a senhora diz... – divagou João Vítor.

– Bem, eu já lhe expliquei o endereço – disse ela, recolhendo a xícara. – Espero vocês às sete e meia na entrada. Por favor, não se atrasem.

– Pode deixar que nós vamos chegar antes da senhora!

– Ah! – emendou ela, já de saída. – Antes que eu me esqueça, meus parabéns pelo seu discurso sobre o Alberto na reunião de hoje. O doutor Fernandez ficou tão sensibilizado com as suas palavras que decidiu dar uma gratificação à família, em sinal de seu reconhecimento pelo trabalho do Alberto ao longo de todos esses anos...

– A senhora está falando sério? – admirou-se João Vítor.

– Sim – respondeu ela –, mas não comente com ninguém que eu lhe contei... Parece até que "o homem" mudou depois que você veio trabalhar aqui...

Alberto recebeu a notícia sem maiores entusiasmos. Estava ainda tão impressionado com as palavras anteriores de dona Catarina que não conseguia fixar seu pensamento em outra coisa. João Vítor, porém, exultou. Não via a hora de dar a notícia à Lenita. Juntou seus papéis e decidiu sair mais cedo. Ainda queria passar em casa para tomar um banho antes de ir buscá-los. Por pouco, Alberto, de tão absorto em seus pensamentos, não ficou sozinho no escritório. Contrariamente ao que era esperado por Xantipa, em Alberto começava a crescer uma vontade de conhecer o tal centro espírita de que dona Catarina tanto falava e uma delicada desconfiança de que Deus realmente existisse.

Capítulo 25

Lenita, Juliana, Felipe e Paulo, que, a pedido da família, aceitara ficar por lá até a hora da sessão, terminavam de se arrumar quando o telefone tocou. Ao ouvir o primeiro toque, Paulo teve um estranho pressentimento. Felipe, ainda um pouco fraco, estava deitado no sofá, enquanto Lenita preparava alguns sanduíches na cozinha. Juliana teve de vir correndo do quarto para atender. Era Selene.

– Mãe? – perguntou Juliana, com um olhar assustado.

Ao ouvi-la, Xantipa, que passara toda a tarde adormecido (graças aos fluidos calmantes que lhe haviam sido aplicados por tia Geninha), levantou-se sobressaltado e correu para perto de Juliana. Só então ele percebeu que eram seis horas e que não havia cumprido nenhuma de suas metas para aquela tarde.

Uma leve lembrança do que ocorrera antes que ele caísse naquela sonolência passou-lhe pela cabeça, mas seus pensamentos de vingança desta vez falaram mais alto, e ele não se deixou dominar pelas faíscas de amor que Felipe semeara em seu coração. Assim, com esperança de que Alberto, Uldarico, Titânia e

Carmona tivessem realizado suas tarefas a contento, postou-se ao lado de Juliana, pronto a influenciá-la tão logo ela manifestasse o menor sinal de desequilíbrio.

Não foi preciso esperar muito. Ao fim da segunda frase dita por Selene ao telefone, Juliana já chorava descontroladamente:

– Mãe, por favor, não fale assim... – dizia ela, em soluços. – Você bebeu?

– Se eu bebi ou não bebi, não é da sua conta – gritou Selene do outro lado da linha. – O que interessa é que eu sou sua mãe e você tem a obrigação de me obedecer!

– Mas eu não quero, eu não posso me mudar para aí agora, do jeito que você quer...

– Não quer? – berrou Selene, bêbada. – Pois fique sabendo que se não vier por bem, vai vir por mal! Ah, se não vem! Agora mesmo eu vou ligar para o... Para quem mesmo que eu vou ligar?... Ah! Claro! Agora mesmo vou ligar para o advogado! O melhor, ouviu? O melhor advogado desta cidade!

Juliana tapou a boca do telefone para que Selene não ouvisse seus soluços. Lenita e Paulo se aproximaram. Lenita tirou-lhe o aparelho das mãos, enquanto Paulo a abraçava.

– Fique calma, Ju – disse ele. – Deixe a Lenita tentar falar com ela...

– *Não deixe!* – gritou Xantipa ao ouvido de Juliana. – *Ela vai machucar a sua mãe! Selene é sua mãe! Será que você não tem nem um pouco de pena dela?*

Juliana pressentiu suas sugestões, empurrou Paulo e arrancou o telefone das mãos de Lenita, dizendo, ainda em prantos:

– Não! Ela é minha mãe! Eu é que tenho que falar com ela!

Do lado de fora da janela, nuvens escuras anunciavam a forte chuva que estava prestes a cair. Lenita afastou-se assustada, sem saber o que dizer ou fazer. Selene, enquanto isso, ainda gritava do outro lado da linha:

– Juliana! Juliana! Não ouse bater o telefone na minha cara! Você não sabe do que eu sou capaz... Eu...

– Estou aqui, mãe... – respondeu Juliana, num soluço.

– Olha – acalmou-se Selene –, eu não quero brigar com você... Quero apenas conversar... Estou me sentindo tão sozinha...

– *Você tem que ir para lá!* – ordenou Xantipa. – *Ela é sua mãe, pode até cometer alguma besteira se você não for...*

– Está bem... – respondeu Juliana, confusa. – Eu vou arranjar um jeito de ir até aí... Mas você promete que não vai beber mais até eu chegar?

Lenita e Paulo se entreolharam confusos, até que a madrasta tomou a iniciativa de interferir novamente:

– Não vai adiantar nada você ir para lá agora, Juliana! Selene não está em condições de conversar com ninguém...

– *Ela não gosta da sua mãe!* – provocou Xantipa. – *Lenita pouco se importa com Selene! Selene precisa de sua ajuda!*

Juliana mais uma vez captou-lhe as sugestões, despediu-se rapidamente da mãe e encarou Lenita:

– Você não gosta da minha mãe! Nunca gostou! Está pouco se importando se ela precisa ou não de ajuda!

– Eu não disse isso, Juliana – tornou Lenita, já começando também a se exaltar.

Paulo tomou-lhe a frente e segurou com força as mãos de Juliana:

– Não brigue com a Lenita, Juliana, ela só quer o seu bem, nós só queremos o seu bem!

– *Não deixe que esse garoto decida o que você deve fazer* – instigou Xantipa.

– Solte-me! – gritou Juliana transtornada. – Você não manda em mim!

Paulo afastou-se assustado. Felipe começou a chorar, nervoso. Lenita correu até ele, esforçando-se ao máximo para manter o equilíbrio. No momento em que Juliana abriu a porta para sair, porém, deu de cara com João Vítor, que acabava de chegar, acompanhado de Alberto.

– Juliana? O que está acontecendo?

Ele tinha as roupas levemente respingadas de chuva, a tempestade acabara de desabar.

– Saia da minha frente, tio. Eu preciso ver a minha mãe! – respondeu ela, empurrando-o.

– Calma aí – disse ele, segurando-a pelo braço. – Antes de qualquer coisa, nós precisamos conversar!

Percebendo a gravidade da situação, Alberto abraçou a filha com força e sussurrou-lhe ao ouvido:

– *Fique. O papai está aqui.*

Imediatamente, a imagem de Alberto veio à mente de Juliana, ela sentiu muitas saudades do pai e caiu num pranto convulsivo. João Vítor a amparou até o sofá, enquanto Xantipa, irritado, partia para cima de Alberto:

– *Você estragou tudo, seu imbecil!*

– *Foi sem querer* – disfarçou Alberto. – *Eu não podia deixá-la sair de casa naquele estado, na chuva! Podia até ser atropelada no caminho!* – ele não pôde deixar de pensar.

– *Até que não seria uma má ideia. Assim ela precisaria se entender comigo frente a frente* – imaginou Xantipa.

– *Não foi esse o combinado* – argumentou Alberto.

– *E você, por acaso, cumpriu com o combinado? O que é que esse imbecil deste seu amigo borra-botas está fazendo aqui?*

– *Eu não tive como evitar* – mentiu Alberto. – *Ele está realmente estranho hoje, não obedeceu a nenhuma das minhas sugestões.*

– *Mais essa agora!* – protestou Xantipa. – *Ainda por cima o borra-botas veio protegido pelos bons! Você estragou tudo!*

Enquanto os dois discutiam, Juliana, mais calma e fora do ângulo de influência de Xantipa, bebia um copo de água com açúcar que Lenita lhe trouxera. João Vítor estava a seu lado.

– E se ela fizer alguma besteira, tio? – perguntou preocupada.

– Ela não vai fazer nada. Daqui a pouco vai ficar com sono e vai dormir – garantiu ele.

– E como é que você pode ter tanta certeza disso? – quis saber Juliana.

– Simplesmente porque toda pessoa que ameaça muito quase sempre só quer chamar a atenção. Quem quer se matar de verdade, Juliana, não coloca anúncio no jornal – ponderou João Vítor.

– Porém ela não disse que queria se matar. Eu é que...

– Está vendo? – aproveitou Lenita. – Mais uma razão para você não se preocupar. Quando seu pai era vivo, Selene fez isso muitas vezes.

– Mãe, por que a Juliana estava chorando? – perguntou Felipe.

– Depois a gente fala sobre isso – desconversou João Vítor, pegando-o no colo – E você? Está melhor?

– Hum, hum! – respondeu Felipe. – A gente não ia sair?

– Ia não, vamos! – afirmou João Vítor – Estão todos prontos?

– Mas, tio – insistiu Juliana –, e se ela falar mesmo com o tal advogado?

– Não se preocupe com isso. Ontem mesmo eu conversei com um advogado lá da empresa e descobri que a Selene não tem nenhum direito sobre você – garantiu João Vítor.

– Afinal, já faz mais de quinze anos que ela te abandonou, e você já vive com a Lenita há mais de sete.

Os olhos de Lenita se iluminaram. A cada minuto que passava, ela se surpreendia mais com João Vítor. Ele era realmente formidável.

– Você jura, tio? – perguntou Juliana, aliviada.

– Juro. Mas isso não impede que você tente conversar com ela de uma maneira civilizada.

– Se você quiser... – arriscou Paulo, que até então se mantivera calado –, eu posso ir até lá amanhã com você...

Juliana olhou para ele, comovida, e só então se deu conta do quanto havia sido grosseira. Tocou no braço dele, envergonhada, e disse:

– Eu quero sim, mas só se você me perdoar...

Paulo teve vontade de tomá-la nos braços e beijá-la ali mesmo, na frente de todos, do jeito como via nos filmes, mas achou melhor se conter.

– Eu nunca vou ficar aborrecido com você – disse, do fundo da alma, com os olhos brilhando para ela.

– Bom – atalhou João Vítor –, acho melhor a gente encerrar essa conversa por aqui ou vamos chegar atrasados...

– *Vão levar o menino doente na chuva?* – Xantipa tentou sua última cartada ao perceber o olhar preocupado de Lenita.

– Não sei, João... Será que não é loucura sair com o Felipe nesta chuva – ela titubeou, captando sem querer a sugestão do obsessor.

João Vítor coçou a cabeça, olhou pela janela, olhou de novo para Felipe.

– Não se preocupe – disse por fim. – A chuva já está passando. De mais a mais, o carro está parado logo em frente ao prédio. Do portão até lá não dá nem dez passos... – disse, já abrindo a porta, seguido por Felipe.

– Neste caso, então é melhor levar os guarda-chuvas – respondeu Lenita, abaixando-se para pegá-los no cesto que ficava próximo à porta.

Ela estancou por alguns instantes, segurando um dos guarda-chuvas, com o olhar distante. Alberto estava parado a seu lado, com um olhar parecido.

– *Você ainda se lembra?* – ele perguntou.

– Lenita, vamos! O elevador chegou! – Juliana a trouxe de volta à realidade, puxando-a pela mão e já trancando rapidamente a porta.

Entraram todos no elevador. Xantipa não cabia em si de tanta irritação e descarregou sua raiva contra Alberto:

– *Está vendo o que você fez, seu miserável?*

– *E o que você queria que eu fizesse se nem você consegue se aproximar deles?* – respondeu Alberto.

– *E o pior é que Uldarico, Titânia e Carmona estão atrasados!*

– *Não entendo... Vocês também, quer dizer, nós também vamos ao centro com eles?*

– *Claro que sim, seu idiota! A única coisa que nos resta a fazer é tentar hipnotizá-los durante a reunião para que não escutem as baboseiras que aqueles outros idiotas vão tentar botar na cabeça deles!* – decidiu ele, no momento em que o elevador chegava ao andar térreo.

– *Como assim?* – surpreendeu-se Alberto.

– *Nós vamos fazer com que eles durmam durante a sessão, entendeu? Agora vamos andando que eles já estão saindo.*

Os dois deixaram o prédio junto com Lenita, João Vítor, Felipe, Juliana e Paulo. Embora não pudessem ser notados por nenhum deles, tia Geninha e o doutor Márcio também faziam parte do grupo, e sorriam satisfeitos por tudo estar se encaminhando conforme fora planejado.

Quando já entravam no carro, Titânia, Uldarico e Carmona, que haviam perdido a hora por terem ficado bebendo com Selene, também juntaram-se a eles, e o grupo finalmente partiu, sob a chuva fina e a torrente de impropérios lançados por Xantipa.

Capítulo 26

Tia Geninha e o doutor Márcio foram os primeiros a entrar no centro. Dirigiram-se a um grupo de amigos desencarnados que trabalhava na casa para notificar-lhes a presença de Xantipa, Alberto, Uldarico, Titânia e Carmona.

– Já esperávamos por eles – explicou o dirigente espiritual. – O mentor espiritual da reunião mediúnica da qual dona Catarina participa já nos havia avisado sobre as visitas desta noite.

– Graças a Deus – comemorou tia Geninha. – Enquanto isso, em que poderíamos ser úteis?

– Venham conosco – propôs o dirigente. – Uma fila de desencarnados necessitados nos espera na secretaria.

Pouco depois, Paulo, Juliana e Felipe seguiram para a salinha da educação espírita infantil, enquanto Lenita, João Vítor e dona Catarina, seguidos pelo grupo de espíritos que os acompanhava, subiam as escadas que davam acesso ao local onde se realizaria a palestra daquela noite.

No caminho, Xantipa ia explicando a Alberto como proceder para ajudá-lo na hipnose de Lenita e João Vítor:

– *Você precisa usar toda a sua força para convencê-los a dormir. Primeiro, sugira cansaço; depois, que fechem os olhos por apenas alguns minutos enquanto a sessão não se inicia...*

Ele ainda não havia acabado sua explicação, quando foi surpreendido por uma gentil mocinha vestida de branco, que barrou-lhes a entrada na pequena sala em que dona Catarina, João Vítor e Lenita haviam acabado de entrar.

– *Sinto muito, mas vocês devem seguir por ali* – disse ela, apontando para outra escada, invisível a olhos humanos. Dava acesso a um andar superior, que também não podia ser visto pelos encarnados.

Sobre aquele andar, no plano espiritual, ainda havia mais três, cujas portas de acesso estavam fechadas.

– *Quem é você?* – encrespou-se Xantipa. – *Como pôde nos ver?*

– *Sou apenas uma trabalhadora desta casa* – respondeu ela com delicadeza. – *Por gentileza, queiram fazer o que eu pedi.*

– *Ela também já morreu?* – quis saber Alberto.

– *Ora, cale essa matraca!* – bradou Xantipa, voltando-se novamente para a moça, em seguida. – *Escute aqui! Não me interessa se você é encarnada ou desencarnada. Só quero que saia da minha frente e não atrapalhe o nosso trabalho!*

Neste momento, o grupo de desencarnados foi rodeado por uma dezena de espíritos de luz, que só então se fizeram visíveis. Com a simples força do olhar, estes trabalhadores hipnotizaram Xantipa e seus companheiros e os conduziram para uma fila de desencarnados que seguia em direção ao andar superior.

Lá de cima, sentados ao lado de Xantipa, em cadeiras plasmadas que flutuavam acima do solo material, encontravam-se também Uldarico, Carmona e Titânia. Alberto, único do grupo que mantinha plena consciência do que ocorria – preservado da terapêutica hipnose aplicada naqueles que o acompanhavam, necessitados dessa intervenção para se acalmarem – observava curioso tudo o que se passava na pequena sala localizada no andar de baixo, onde se reuniam os encarnados.

João Vítor e Lenita haviam se acomodado em duas cadeiras de madeira no canto da sala, enquanto dona Catarina conversava baixinho com dois senhores sentados diante de uma mesa coberta por uma toalha azul-clara, no centro da qual havia um vaso de flores coloridas, vários livros sustentados por dois suportes, uma jarra de água e alguns copos.

Depois de terminar de falar com os dois senhores, dona Catarina tomou dois pequenos livros, intitulados *Pão Nosso* e *Fonte Viva*,[9] e dirigiu-se a João Vítor e Lenita, enquanto outras pessoas iam entrando na sala e se acomodando nas cadeiras dispostas em volta da mesa.

– Pelo menos quinze minutos antes do início da reunião, é aconselhável que todos os presentes se concentrem na leitura de mensagens edificantes como aquelas que poderão encontrar nestes livros – disse ela, estendendo um exemplar a cada um.

– Qualquer pessoa pode assistir a uma reunião como esta, dona Catarina? – perguntou Lenita, baixinho.

– Sim, esta é uma reunião pública, destinada ao esclarecimento e à evangelização tanto de encarnados quanto de desencarnados.

– E... – ensaiou Lenita, tentando disfarçar sua ansiedade. – A senhora acha que o Alberto vai se manifestar aqui, na frente de toda esta gente? – ela perguntou baixinho.

---

9. Livros de mensagens ditadas pelo Espírito Emmanuel, psicografadas pelo médium Francisco Cândido Xavier, ambos publicados pela FEB.

– Não! Como disse, as reuniões públicas têm como principal finalidade consolar, oferecer informações sobre a vida e o pós-vida à luz do Evangelho de Jesus. Dentro de um centro espírita que segue a doutrina codificada por Allan Kardec, os desencarnados só costumam se manifestar dentro das chamadas reuniões mediúnicas – explicou Catarina.

– E nós também vamos poder participar desta tal reunião mediúnica? – quis saber João Vítor.

– De forma alguma. Uma reunião mediúnica é como uma sala de cirurgia. Você já imaginou se os médicos deixassem entrar ali qualquer pessoa?

– Seria um tumulto... Com certeza a cirurgia e a própria saúde do paciente correriam sério risco por isso... – imaginou Lenita.

– Pois então. Da mesma maneira, para que uma reunião mediúnica funcione a contento, é necessário que haja todo um treinamento, a fim de que, na hora exata, ocorra um perfeito entrosamento entre todos os participantes, os quais deverão formar uma corrente vibratória forte e equilibrada. Na verdade, todos nós que integramos a mesa mediúnica fazemos parte também de um grupo de estudos sobre a mediunidade – explicou dona Catarina.

– Se é assim, como é que eu e Lenita, que não entendemos nada do assunto, vamos poder saber notícias do Alberto? – questionou João Vítor. – Não foi para isto que nós viemos até aqui?

– Vocês vieram até aqui para auxiliar o Alberto neste momento de transição – garantiu dona Catarina.

– Mas como poderemos fazer isto? – novamente Lenita se impacientou.

– Acreditem, auxiliando a vocês mesmos por meio do estudo sério da doutrina e, sobretudo, através do esforço sincero para colocar em prática aquilo que aprendem, vocês serão capazes de ajudar não só ao Alberto, mas a muitos visíveis e invisíveis!

Dona Catarina, porém, não teve tempo de responder a mais nenhuma pergunta dos dois. O relógio no fundo da sala marcava sete horas e quarenta e cinco minutos, e o dirigente encarnado fazia sinal para que ela fosse se juntar às outras nove pessoas que já haviam ocupado seus lugares em torno da mesa. Algumas mantinham-se de cabeça baixa, outras concentravam-se na leitura de uma página, como ela mesma havia acabado de aconselhar a João Vítor e Lenita.

Ao acompanhar dona Catarina com o olhar, Alberto percebeu que, numa das paredes da sala, havia uma espécie de telão, o qual só podia ser visto pela plateia desencarnada.

Às oito horas em ponto, uma das pessoas da mesa levantou-se e disse:

– Graças a Deus, a Jesus e a Maria de Nazaré.

Em seguida, a mesma pessoa abriu um pequeno livro e começou a lê-lo em voz alta:

> *A hora que passa é preciosa demais para que lhe percamos a grandeza. Saibamos abraçar a fé viva que o Cristo nos legou com a renunciação aos caprichos inferiores e, transformando-nos em sinceros trabalhadores, no aperfeiçoamento de nós mesmos pelo trabalho infatigável no bem, aniquilaremos as montanhas agressivas que nos separam do Mestre Divino e d'Ele receberemos o salário da luz com que assimilaremos os dons das mais altas revelações nos domínios da vida eterna.* (Emmanuel)[10]

---

10. Trecho da mensagem "Alcancemos a Luz", psicografada por Francisco Cândido Xavier, do livro *Mais perto*, São Paulo: Geem, 1983.

Enquanto o trecho era lido, imagens de paisagens belíssimas eram projetadas na tela, emolduradas por uma suave e doce melodia, que também não podia ser captada pelos ouvidos dos encarnados. Inspirado por este contexto, Alberto experimentou incrível sensação de bem-estar e relaxou na poltrona.

Dando prosseguimento à reunião, outra pessoa da mesa se levantou e abriu, ao acaso, *O Evangelho Segundo o Espiritismo*, passando a ler a página em voz alta:

> *A obsessão é a ação continuada que um mau espírito exerce sobre um indivíduo. Apresenta características muito diversas, desde a simples influência moral, sem sinais exteriores que se percebam, até a completa perturbação do organismo e das faculdades mentais. Ela obstrui todas as faculdades mediúnicas. Na mediunidade psicográfica, isto é, da escrita, ela se traduz pela teimosia de um espírito em se manifestar, não permitindo que outros se manifestem.*
>
> *Ao redor da Terra, há grande quantidade de maus espíritos, devido à inferioridade moral dos seus habitantes. Sua ação maléfica faz parte dos flagelos dos quais a humanidade é alvo na Terra. A obsessão, como as doenças, e como todas as tribulações da vida, deve, pois, ser considerada como uma prova ou uma expiação, e aceita como tal.*
>
> *Da mesma forma que as doenças são o resultado das imperfeições físicas que tornam o espírito acessível às más influências exteriores, a obsessão é sempre o resultado de uma imperfeição moral que dá acesso a um espírito mau. A uma causa física se opõe uma força física; a uma causa moral é preciso opor uma força moral. Para se preservar das doenças fortifica-se o corpo; para se garantir contra a obsessão, é preciso fortificar a alma; daí, para o obsediado, a necessidade de trabalhar a própria melhoria, o que muitas vezes*

basta para livrá-lo do obsessor sem o socorro de pessoas estranhas. Esse socorro torna-se necessário quando a obsessão degenera em subjugação e em possessão, porque o paciente perde, por vezes, a vontade e o livre arbítrio.

A obsessão é quase sempre o resultado de uma vingança exercida por um espírito, a qual muitas vezes tem sua origem nas relações que o obsediado teve com ele em uma existência anterior.

(...) Em todos os casos obsessivos, a prece é o mais poderoso auxiliar na ação de esclarecimento do espírito obsessor.[11]

– Meus irmãos – disse o dirigente, logo depois que o orador encerrou sua fala –, existem duas mensagens importantes que devemos extrair desta passagem do *Evangelho*. A primeira delas é que ninguém pode se dizer ou se sentir vítima de um irmão obsessor.

"Quantas pessoas", prosseguiu ele, "inclusive médiuns, chegam a esta casa revoltadas, acreditando estarem sendo injustamente prejudicadas por 'espíritos malfeitores', sem nada terem feito para merecer este castigo.

Na verdade, sempre que somos vítimas da perturbação de algum espírito, é porque de alguma maneira estamos ligados a ele. Seja por uma simples afinidade momentânea de pensamentos, seja em função de dívidas do passado. Na maioria dos casos, esses espíritos a quem julgamos malfeitores são seres a quem nós muito magoamos em encarnações anteriores e que só invadem as nossas casas para nos perturbar porque a mágoa que lhes causamos no passado foi tão grande que eles, agora, cegos em sua imensa dor, se sentem no direito de nos cobrar pelo mal que lhes

---

11. O *Evangelho Segundo o Espiritismo*. São Paulo: Petit Editora, Capítulo 28, item 81.

fizemos. Portanto, ninguém deve se julgar "coitadinho" por estar sendo obsediado. Ao contrário, devemos nos sentir responsáveis por ter causado uma ferida tão grande naquele pobre espírito e encontrar um meio de reparar nossos erros.

Como fazer isso? Esta é a segunda lição importante da passagem lida. Por meio do nosso exemplo moral. Sim, é verdade que nos esquecemos completamente do passado quando aportamos na Terra para uma nova existência. No entanto, devemos ter sempre em mente que cada nova existência é uma chance que Deus nos concede para reparar nossos erros do passado e, cientes disso, procurarmos nos aprimorar moralmente a cada dia. Perdoando os nossos irmãos da mesma maneira como gostaríamos de ser perdoados por nossas faltas, não fazendo aos outros aquilo que não gostaríamos que fizessem conosco, amando ao nosso próximo assim como amamos a nós mesmos.

Só por meio do bom exemplo, do proceder reto, é que podemos convencer nosso irmão obsessor de que estamos mudados, de que merecemos uma nova chance e de que ele também pode mudar, inspirado no nosso exemplo.

E, sobretudo, devemos dar o exemplo do amor, orando por esses irmãos que nos incomodam, pedindo a Deus para que também tenha misericórdia para com eles, para que lhes ilumine o caminho, a fim de que possam enxergar os débitos que eles também estão acumulando ao insistir em seu desejo de vingança. Devemos entender que, somente por meio do amor sincero e despretensioso, podemos fazer com que esses espíritos compreendam que eles, assim como nós, têm tudo a perder praticando o mal, e tudo a ganhar fazendo o bem. Não basta, porém, que digamos palavras bonitas em nossas preces, se o nosso procedimento não puder espelhar a essência dessas palavras.

Em uma de suas mais inesquecíveis palestras gravadas em vídeo, o famoso médium Divaldo Pereira Franco, por exemplo, narra o caso de um obsessor que o perseguiu durante anos a fio. Divaldo nos conta que tentou todas as formas de prece e de doutrinação para tentar ajudar aquele irmão sofredor, mas nada surtia o efeito desejado. Até que, um dia, um dos membros da Mansão do Caminho[12] foi chamá-lo em sua casa para avisar que uma criança recém-nascida fora encontrada na lata do lixo. Divaldo correu até lá, e, no momento em que subia com a criança nos braços, o irmão obsessor se fez visível no alto da escada e perguntou a ele:

'Você ama essa criança feia, essa criança suja desse jeito?'

'Ainda não amo, mas pretendo aprender a amá-la', respondeu Divaldo com sinceridade.

'Então', prosseguiu o irmão desencarnado, 'a partir de agora, eu vou deixar você em paz. Porque essa criança é minha mãe.'

Como vemos, o simples exemplo moral de Divaldo Franco não foi suficiente para afastar aquele irmão perseguidor. Foi preciso que a este exemplo se juntasse um verdadeiro ato de amor para que aquele irmão fosse tocado em suas fibras mais íntimas. Que esta história nos sirva de modelo para as nossas lutas do dia a dia.

Que a Paz do Senhor esteja com todos vocês."

Enquanto o dirigente proferia sua explanação, imagens na tela invisível a olhos humanos ilustravam suas palavras, de maneira a torná-las ainda mais claras para a plateia de desencar-

---

12. A Mansão do Caminho é uma instituição criada e presidida por Divaldo Pereira Franco, que abriga crianças órfãs em núcleos que imitam o ambiente familiar.

nados, que assim podia acompanhar a narrativa como se estivesse assistindo a um filme. No momento em que ele encerrou sua fala, muitos desses desencarnados choravam comovidos, inclusive Alberto. Xantipa, Titânia, Uldarico e Carmona, no entanto, mantinham-se calados, como se estivessem indiferentes a tudo o que lhes fora mostrado.

Embora nem a plateia de encarnados nem a de desencarnados pudesse perceber, ao fim da palestra, uma chuva de pétalas coloridas e perfumadas descia sobre todos os presentes, espalhando fluidos de amor e luz pelo local, e dissolvendo-se ao contato com os seres, como se absorvidas pelo corpo espiritual de cada um conforme as suas necessidades.

Após o momento do passe, Lenita ainda pensava em insistir com dona Catarina, pedir se não seria possível assistir ao menos a um pedacinho da reunião mediúnica, para ver se Alberto se manifestaria.

Mas nem houve oportunidade para isso. De longe, dona Catarina apenas acenou para os dois ao sair da sala de passes, de lá seguiu direto com os outros médiuns em direção à salinha que ficava no fundo do corredor.

O jeito foi descer para buscar os meninos na educação espírita infantil e voltar para casa como combinado. Lenita, contudo, não conseguia esconder sua frustração, e mal abriu a boca durante todo o trajeto. Nem mesmo quando João Vítor parou numa padaria e voltou com um pacote de pães quentinhos para o lanche.

Juliana e Felipe já estavam sonhando com o sanduíche que iriam fazer, quando ela de repente se lembrou:

– O guarda-chuva!

Havia esquecido na sala de palestras.

– É só um guarda-chuva. Se alguém achou, certamente vai deixar lá guardado, depois você pega... Afinal de contas, é um centro espírita! – argumentou João Vítor.

– Não é só um guarda-chuva! – desesperou-se Lenita. – Foi o primeiro presente que eu ganhei do Alberto! – ela revelou por fim.

– É por isso que não gosto nunca de levar guarda-chuva. A gente sempre perde! – sentenciou Juliana, da cozinha, já preparando seu sanduíche.

– Eu tenho certeza de que deixei debaixo da cadeira! – insistia Lenita.

Não houve como convencê-la a esperar até o dia seguinte. Solícito como sempre, João Vítor se dispôs então a levá-la de novo até a porta do centro:

– Dona Catarina ficou lá, o Paulo também. Quem sabe ainda tem alguém que nos ajude a resolver o problema? – ele imaginou.

Deixaram as crianças lanchando e saíram os dois correndo, apressados, como se fossem socorrer um doente. Só não imaginavam a situação delicada a que inconscientemente pareciam estar sendo levados.

Capítulo 27

O centro todo estava escuro. Apenas uma das salas continuava a ser utilizada pelo grupo do qual fazia parte dona Catarina. Ainda assim, durante os trabalhos mantinha-se iluminada apenas por uma lâmpada avermelhada. Ali acontecia a reunião mediúnica. Orientados pelos trabalhadores espirituais da casa, os desencarnados – que continuavam situados num andar superior, invisível a olhos comuns, como se a reunião mediúnica fosse meramente uma continuação natural da reunião pública a que haviam acabado de assistir – se organizavam agora em uma fila e eram conduzidos, um a um, à mesa, onde os médiuns mantinham-se concentrados em orações, passando-se então a sucederem-se as manifestações.

Lenita e João Vítor, enquanto isso, chegavam à entrada do centro e constatavam o inevitável:

– Está tudo fechado! – observou João Vítor, depois de verificar o terceiro e último dos portões.

– Que coisa... Será que já foi todo mundo embora? – estranhou Lenita, encolhendo-se de frio.

O tempo parecia ter mudado naqueles cerca de cinquenta minutos que passaram desde o momento em que haviam saído dali. Aliás, não só o tempo, mas toda a atmosfera em torno da casa parecia alterada – Lenita teve esta sensação.

Já estavam prestes a desistir, quando avistaram o rapazinho da cantina apontando na esquina, com uma sacola de supermercado. Era o filho da nova caseira, que morava nos fundos do centro e cuidava da lanchonete. Haviam se visto de relance quando subiram para assistir à palestra.

– Opa! – cumprimentou ele, já tirando do bolso a chave do cadeado. – Esqueceram alguma coisa? – deduziu de imediato.

– Sim! – Lenita exclamou num rompante. – Será que você deixaria eu entrar aí só um minutinho para pegar o guarda-chuva que deixei embaixo da cadeira?

– Beleza – o rapaz não parecia muito interessado em explicações. – Só não demora muito. Eles não gostam que entre ninguém lá dentro em dia de reunião – ele observou, abrindo o portão.

Lenita deu um passo para trás. Sentiu um arrepio.

– Ele não pode vir comigo? – pediu, puxando João Vítor pela mão.

Subiram, fazendo o mínimo de ruído possível. Caminhavam em direção à luz bruxuleante que avistavam na pequena janela lá em cima, imaginando que estivessem indo em direção ao salão. À medida que se aproximavam do segundo andar, porém, João Vítor percebeu que Lenita ia ficando cada vez mais gelada.

– Que houve? – ele perguntou num sussurro.

De onde estavam, de repente ouviram uma voz de alguém exaltado. Parecia estar discutindo com outra pessoa. Ela fez um sinal com as duas mãos, pedindo que João Vítor não dissesse nada, curiosa em ouvir o que acontecia.

Era Xantipa. Ao aproximar-se da médium, já praticamente liberto dos efeitos da hipnose que o obrigara a permanecer no recinto até então, ele se mostrava bastante revoltado:

– *Cambada de imbecis! Não veem que não adianta me dopar para me obrigar a ouvir essas baboseiras? Meu ódio é maior do que tudo!* – ameaçava ele pelos lábios da médium.

– Procure se acalmar, irmão – tranquilizou-o o doutrinador. – Estamos aqui para ajudá-lo a livrar-se desse ódio que tanto o prejudica. Não gostaria de falar um pouco sobre as razões que o mantêm preso aqui na crosta por tanto tempo?

– *Eu sei que estou obsediando uma pessoa e que vocês acham que eu estou errado por fazer isso* – respondeu ele, um pouco constrangido pela firmeza do doutrinador. – *Mas vou contar a vocês tudo o que eu passei por causa dela para que no final me digam se eu tenho ou não tenho razão de estar fazendo isso...*

Do lado de fora da sala, Lenita arregalou os dois olhos e apertou fortemente as mãos de João Vítor.

– Não seria melhor nós irmos embora? – ele sugeriu baixo ao ouvido dela.

– Não, vamos ficar! – pediu ela, ainda gelada.

– É claro que você tem suas razões, irmão – incentivou-o o doutrinador, instruído por seus mentores espirituais. – Estamos aqui para ouvi-lo. Para ajudá-lo, os benfeitores espirituais vão projetar agora, na tela que se encontra diante de você e que não pode ser vista pelos encarnados, as imagens de tudo o que aconteceu no seu passado, para que você possa reavaliar cada detalhe e observar em que medida também foi responsável por seu trágico destino.

Enquanto o doutrinador o instruía, um dos benfeitores espirituais aproximou-se da médium – por intermédio da qual

Xantipa se manifestava. Aplicou-lhe um passe revigorante, dirigindo-lhe fluídos de grande poder regenerador, luminosamente brancos, transmitidos, igualmente, com a mesma intensidade, a Xantipa.

Do lado de fora, sem que pudessem perceber, João Vítor e Lenita também eram ajudados por espíritos socorristas que auxiliavam no trabalho realizado na mesa mediúnica.

Aos poucos, a luz começou a surtir efeito no espírito revoltado, que foi assim induzido a uma espécie de estado de regressão de memória. Em segundos, sua mente foi invadida por uma série de imagens, que apareciam também na grande tela visível apenas aos olhos dos desencarnados. Condicionado por essas imagens, o próprio Xantipa começou a narrar seu passado:

– *Não sei dizer exatamente em que ano tudo aconteceu... Já faz muito tempo que eu morri, e minha cabeça anda um pouco embaralhada com esses negócios de data. Mas o fato é que eu era casado com uma moça e nós vivíamos numa cidadezinha do interior. Não tínhamos muito dinheiro, é verdade, mas eu era completamente apaixonado por ela.*

"Só que essa moça tinha mania de grandeza. Para ela, o meu amor não valia nada. Ela queria ser rica, ter posição, e por isso vivia me humilhando. Mas eu nem ligava. Até que um dia ela sumiu. Fiquei doidinho atrás dela, revirei a cidade toda procurando. De tanto 'apertar' o pessoal das fazendas que eu conhecia, acabei descobrindo que ela fora viver com o filho de um fazendeiro muito rico.

No princípio, tentei me conformar, achando que aquela era a lei da vida, que ela merecia um homem muito melhor do que eu, que não tinha nem onde cair morto. E fiquei por aí, pelos bares. Até que, conversando aqui e ali, eu descobri que o cara era um safado. Que tinha tomado do pai a parte dele na herança da família e saído pelo mundo gastando tudo, se envolvendo com tudo quanto é mulher que encontrava pelo caminho. Quer dizer, não era um cara decente, um cara melhor do que eu, como eu pensava no início. Tanto que, quando ele descobriu que a minha mulher estava esperando um filho meu, deu logo um 'chega pra lá' nela.

Na época, ela chegou a me procurar, pedindo perdão e coisa e tal, mas eu tava muito ofendido, não queria nem vê-la na minha frente. Pensava até que o filho era dele e que ela me procurou só porque precisava de alguém para ajudar a criar a criança. Mas, depois que a menina nasceu, eu fiz as contas e cheguei à conclusão de que era minha mesmo. No fundo, eu ainda era apaixonado pela minha mulher e acabei engolindo o meu orgulho para ir atrás dela. Tinha virado mulher da vida, mas, mesmo assim, eu quis dar uma chance.

Aí ela me tratou como um cachorro sarnento, me humilhou até não poder mais, e ainda disse que tinha dado a minha filha para um casal rico criar. Eu fiquei doente de tanto desgosto. Passei a odiar aquela mulher como nunca tinha odiado ninguém na minha vida... Jurei que nunca mais ia perdoar pelo que ela me fez e saí catando a minha filha.

Depois de muito andar, eu descobri que ela havia dado a menina para o irmão daquele aventureiro. Para se vingar do desgraçado! Só que, no dia que eu cheguei lá, eu vi uma coisa que eu nunca mais vou me esquecer. Eu estava escondido pelos matos da fazenda, tentando arranjar um jeito de ver a minha menina de longe, quando, de repente, eu vi o tal aventureiro enterrando dois corpos. Ele tinha acabado de matar o pai e o irmão, só para ficar com o restante da fortuna e com a mulher do irmão. Depois, eu fiquei sabendo que ele sempre tinha sido apaixonado pela mulher do irmão e que tinha saído pelo mundo só porque não tinha se aguentado de ciúmes no dia que nasceu o primeiro filho dos dois, que, por sinal, era este mesmo menino que agora é filho dela com ele.

E o pior é que o pai dele, o velho assassinado, era louco por esse filho, a ponto até de ser injusto com o outro, que tinha ficado dentro de casa. Não precisava ter feito isso. Era só ele pedir que o velho dividia o restante da herança de novo com ele, o velho fazia tudo por ele. Pelo menos, era o que o povo dizia.

Fiquei muito assustado com aquela cena, revoltado mesmo com aquilo, mas resolvi sumir por uns tempos, com medo de denunciar o assassinato e acabar envolvido com a polícia. Só voltei lá cerca de dois anos depois, disposto a tirar minha filha daquele lugar de qualquer jeito..."

– E, nesse período, você não teve medo de que o aventureiro matasse também a sua filha? – perguntou o doutrinador.

– *Para dizer a verdade, eu nem pensei nisso. Na hora, eu só queria mesmo salvar a minha pele* – respondeu Xantipa, um pouco envergonhado. – *Depois* – continuou ele – *comecei a me sentir muito sozinho e resolvi buscar o que era meu. Procurei o aventureiro e...*

– Espere um pouco – interrompeu o doutrinador –, você decidiu buscar sua filha por que estava se sentindo sozinho ou por que queria alguém para cozinhar e lavar roupas de graça para você?

Imagens na tela mostravam o barraco de Xantipa todo revirado, com roupas sujas e garrafas de bebida espalhadas por toda a parte. Vendo essas imagens, Xantipa foi obrigado a admitir:

– *Bem, eu achava que, já que ela era minha filha, não custava nada me dar uma mãozinha...*

– Certo, continue – determinou o doutrinador. – E o que aconteceu quando você chegou à fazenda?

– *Na verdade, eu tive uma surpresa, porque tinha chegado lá armado, disposto a acabar de uma vez com a vida do cara se ele não quisesse me ouvir. Mas ele me tratou com todo o respeito e consideração. Acreditou que a menina era minha filha, mas pediu muito para que eu a deixasse ficar. Explicou que a mulher do irmão, com quem, a essas alturas, ele já se casara, estava muito doente, que era muito apegada à menina e que podia até piorar da doença se eu levasse a garota de lá...*

– Então, a família amava a menina... – considerou o doutrinador.

– *A mulher, parece que sim. Mas ele não parecia ligar muito para ela. Sua única preocupação era evitar que a mulher sofresse. Imagine, camarada, que ele me disse, com o maior descaramento, que o pai e o irmão tinham sido misteriosamente assassinados e que não sabia mais o que fazer para consolar a infeliz da esposa...*

– E, quando ele disse isso, você fingiu que não sabia de nada... – deduziu o doutrinador.

– *E o que é que eu ia fazer? Além do mais, ele já estava casado com a cunhada, e eu não queria confusão para o meu lado...*

– E ele não te deu nada por isso? – perguntou o doutrinador, enquanto imagens na tela mostravam o fazendeiro dando muito dinheiro a Xantipa.

– *Ele foi legal, sim* – concordou Xantipa –, *tanto que eu até perdi um pouco da raiva que tinha dele, depois daquele encontro. Deu para mim um bom dinheiro para ajeitar as minhas dívidas e disse que eu podia voltar à fazenda sempre que quisesse, para ver a menina.*

– E você nunca disse a ele o que tinha visto? – quis saber o doutrinador.

– *Não, isso nunca. Tinha medo de que ele ficasse com raiva e resolvesse me apagar também...*

– E você voltou muitas vezes para ver a menina? – insistiu o doutrinador.

Xantipa já ia dizer que sim, mas foi surpreendido mais uma vez pelas imagens na tela, que o mostravam voltando à fazenda só no momento em que o dinheiro que recebera do fazendeiro havia acabado.

– *Na verdade, eu só voltei lá quando o dinheiro acabou* – admitiu ele, constrangido. – *Ia pedir um pouco mais... O fazendeiro me disse que sua mulher havia morrido. Que agora eu até podia levar a menina, se eu quisesse. Ele estava muito triste com a morte da mulher.*

– E você levou a menina? – perguntou o doutrinador.

– *Fiquei um pouco assustado quando ele me fez essa proposta. Não estava preparado para isso e pedi um tempo para pensar. Uma semana depois, quando cheguei à conclusão de que estava disposto a terminar de criar a garota, voltei lá e procurei pelo fazendeiro para conversar. Ele tinha saído, mas eu queria resolver tudo naquela hora mesmo. Daí, encontrei a garota na varanda e resolvi contar toda a verdade para ela. Ela então começou a chorar, disse que era mentira e que não queria me ver nunca mais. Eu fiquei muito bravo e até dei alguns tapas nela.*

– Quantos anos sua filha tinha na época? – quis saber o doutrinador.

– *Acho que onze ou doze, mais ou menos.*

– E você acha que ela poderia ter agido de outra forma? Pense bem! Ela nunca tinha visto você, tinha perdido aqueles que acreditava serem seus pais de verdade, já se acostumara a ser criada pelo tio. De repente, você aparece lá, bêbado e maltrapilho, dizendo aquele monte de coisas, e ainda bate nela. Você acha, sinceramente, que depois disso tudo ela poderia gostar de você? Se você fosse ela, teria coragem de pegar todas as suas coisas e ir embora com um homem naquele estado só porque ele dizia que era seu pai?

Xantipa abaixou a cabeça pensativo. Começava a perceber que criara para si próprio uma história que não continha a pura verdade dos fatos. Lágrimas escorriam pelo rosto da médium. Vendo que conseguira sensibilizá-lo, o doutrinador prosseguiu:

– E depois disso? O que você fez?

– *Passei a perseguir minha filha. Ela tomou horror de mim e começou a me humilhar toda vez em que me via...* – respondeu ele, chorando.

– E o tio dela? Não fez nada?

– *Não quis se meter, e eu até fiquei grato a ele por isso também. Porém ela ficou com raiva dele. Fugiu da cidade. Depois, ninguém nunca mais soube dela... Coitada da minha filha* – finalizou ele, num soluço.

– E, no entanto, agora há pouco, você queria se vingar dela... – ponderou o doutrinador.

– *Não!* – protestou Xantipa. – *Dela eu até que tinha um pouco de pena, mas eu queria mesmo era me vingar da mãe dela...*

– E o que você fez? – continuou o doutrinador.

– *Logo depois eu morri e fui para a casa dela. Lá eu conheci três espíritos. Eles estão comigo até hoje. Juntos, nós infernizamos a cabeça dela até que ela ficasse doida...*

– Ela ficou louca por causa de vocês? E quem eram aqueles três espíritos? Por que a odiavam tanto? – insistiu o doutrinador.

– *Ela havia abortado os três, na época em que virou mulher da vida... Mas, depois, ela voltou aqui para a Terra e foi ser mãe de novo da minha filha...*

– Mas nem assim vocês a deixaram em paz, não é mesmo? Será que não foi suficiente fazê-la ficar louca naquela encarnação? – perguntou o doutrinador.

– *Ela me magoou muito!* – protestou Xantipa. – *Além disso, por causa dela, Uldarico, Titânia e Carmona não puderam nascer.*

– Talvez, se vocês não tivessem prosseguido tanto tempo naquela vingança, pudessem também ter tido uma nova chance de voltar à Terra e esquecer as mágoas do passado, iniciando uma nova vida... – avaliou o doutrinador.

– *Porém ela não se modificou! Continua sendo interesseira e leviana!* – justificou Xantipa.

– *E você também não foi interesseiro e leviano no caso da sua filha? Amigo, se vocês chegaram até mesmo a se casar naquela vida, foi porque alguma coisa vocês tinham em comum. Não julgue os outros para não ser julgado...*

Xantipa abaixou novamente a cabeça, envergonhado.

– Em todo caso – prosseguiu o doutrinador –, para que você não se sinta tão injustiçado, vamos voltar um pouco mais no tempo, para tentar descobrir por que a sua mulher te prejudicou tanto naquela encarnação...

Imediatamente, surgiram na tela imagens de um homem maltratando uma mulher com uma criança no colo. Depois de muito humilhá-la, ele abria a porta e corria para os braços de uma moça rica, que o esperava na cama de um luxuoso quarto.

– *Chega!* – implorou Xantipa. – *Eu me arrependo! Não continue mais me torturando desse jeito, eu imploro! Não quero ver mais essas imagens! Quero esquecer tudo isso! Pelo amor de Deus, me ajude a esquecer tudo isso...*

Dois espíritos socorristas se aproximaram da médium e conduziram Xantipa para outra fila de desencarnados, que aguardavam o término da sessão para serem levados a um posto de socorro no plano espiritual.

Segundos depois, quando os trabalhadores da casa se aproximaram de Alberto para avisar-lhe que era chegada a hora de sua manifestação, ele soluçava como uma criança e pediu para não ir até a mesa:

– *Eu entendi tudo* – disse ele, chorando. – *Eu me lembrei de tudo enquanto ele falava... Fui eu o homem que matou o pai e o irmão, fui eu quem causou a desgraça daquela menina que hoje é minha filha...*

– *Acalme-se, irmão* – abraçou-o o socorrista. – *Você não precisa se manifestar, se não quiser...*

– *Eu não quero que a Lenita e o João Vítor me vejam neste estado...* – chorava ele. – *Fui eu quem atrapalhou a vida deles... João Vítor era meu irmão e tinha apenas trinta e quatro anos quando o matei... Por isso eu tive que morrer com trinta e quatro anos, por isso ele agora terá de assumir tudo aquilo que era seu por direito, tudo o que eu roubei dele no passado...*

– *Não pense mais nisso* – aconselhou o socorrista. – *Você se arrependeu, e é isso o que importa. Deus, nosso Pai, em sua infinita bondade, perdoa a todos aqueles que se arrependem de seus erros... Além disso, em sua última encarnação você acumulou muitos méritos...*

– *Eu não mereço perdão* – insistia Alberto –, *não mereço nem voltar para aquele hospital de onde eu saí... O doutor Fernandez nunca acreditou em mim nessa encarnação, porque ele já tinha sido meu pai e eu o matei... Eu matei meu pai e meu irmão... O meu pai que me adorava e fazia tudo por mim...* – repetia sem parar.

Dado seu estado, o socorrista foi obrigado a aplicar-lhe um passe calmante, que fez Alberto adormecer rapidamente. Acomodado numa maca por dois outros socorristas, ele foi então conduzido à fila de desencarnados onde se encontrava Xantipa. Uldarico, Titânia e Carmona, também envergonhados e arrependidos após ouvirem a doutrinação de Xantipa, chegaram logo em seguida. Como Alberto, haviam preferido não se manifestar e ir direto para a fila de irmãos candidatos ao socorro.

Naquela noite, muitos dos desencarnados presentes conscientizaram-se de sua situação após acompanhar o relato de Xantipa. Assim, após mais três manifestações apenas, o dirigente encarnado encerrava os trabalhos com uma prece:

– Querido Pai celestial de amor e bondade, querido mestre Jesus, querida irmã Maria de Nazaré:

"Que esta sessão de hoje possa ter servido a todos nós, encarnados e desencarnados, como exemplo da misericórdia infinita de nosso Pai Maior, na qual nós devemos nos inspirar para perdoar também a todos os nossos irmãos. Que as histórias aqui contadas nesta noite possam funcionar como luzes no coração de cada um de nós, abrindo-nos os olhos da mente para as verdades eternas, para a essencial finalidade de nossa passagem aqui na Terra, para a nossa urgente necessidade de aprimoramento moral.

Com o coração inundado por esta luz, nós vos rogamos, ó Pai, por todos os irmãos desencarnados que foram socorridos nesta sessão de doutrinação. Que cada um deles possa receber o auxílio e o apoio necessários no plano espiritual, que cada um deles possa ser acolhido com amor e bondade por nossos amigos do plano maior, a fim de que, em breve, eles também possam reiniciar sua caminhada evolutiva.

Quanto a nós, Pai, só nos resta agradecer por tantas dádivas e, sobretudo, pela oportunidade de crescimento que agora experimentamos. Dai-nos a força e a luz para que, amanhã, possamos acordar um pouquinho melhores do que éramos ontem; e a perseverança para que possamos continuar trabalhando na nossa reforma íntima. Que a vossa bênção possa nos acompanhar ao longo de toda esta semana, e que todos aqueles que de nós se aproximem possam sentir uma fagulha da imensa luz que esta noite foi acesa dentro de cada um de nós. Assim seja."

Lenita e João Vítor tinham os olhos rasos d'água quando dona Catarina abriu a porta da sala e deu com os dois abraçados, juntinhos, sentados na beira da escada. Pareciam ao mesmo tempo assustados e comovidos.

– O que estão fazendo aqui? Aconteceu alguma coisa? – ela assustou-se.

Com vergonha diante do olhar do grupo de médiuns preocupados, Lenita e João Vítor tentaram explicar o que acontecera, porém Lenita acabou caindo numa crise de choro.

– Está vendo? É por isso que a gente toma tanto cuidado! A pessoa que não está preparada não tem condições de participar de uma reunião mediúnica! Fica impressionada, pode até entrar em estado de desequilíbrio! – ralhou dona Catarina, sem, contudo, deixar de lado o tom amoroso.

– Beba, querida... Vai lhe fazer bem... – disse outra senhora, estendendo-lhe um copo com água retirada da jarra que ficara sobre a mesa.

– Na verdade... – disse Lenita, soluçando como criança. – Não sei direito... porque estou assim... Só sei dizer que não foi por... mal... Eu não queria... ter desobedecido à senhora...

– Está tudo bem, Lenita – disse João Vítor, abraçando-a.

– O rapaz não poderia ter deixado que eles subissem – comentou um senhor. – Eu vou até lá embaixo conversar com ele... – disse, muito tranquilo, já tomando o rumo das escadas, junto com outro senhor.

– Veja – disse uma moça delicada, vindo da sala de palestras. – Não chore. Acho que encontrei o seu guarda-chuva!

Lenita e João Vítor desceram as escadas de mãos dadas, carinhosamente cercados pelo grupo de médiuns, embora não atinassem para o fato. Dona Catarina, que vinha logo atrás deles, não pôde deixar de esboçar um sorriso de contentamento ao vê-los assim, apesar de tudo. Mais do que ninguém, ela agora sabia que havia uma razão para que tudo aquilo estivesse acontecendo.

Capítulo 28

Só depois de deixar dona Catarina em casa; de retirar cuidadosamente Juliana e Felipe do sofá, onde dormiam emaranhados, e de ajudá-los a se acomodarem cada qual em sua cama; Lenita e João Vítor finalmente puderam conversar sobre tudo o que havia acontecido naquela noite. Embora tivessem apenas uma vaga e pálida intuição de sua participação em toda a trama narrada por Xantipa, ambos ainda se sentiam fortemente impressionados por seu relato.

– Sabe, João – confidenciou Lenita –, à medida que ele falava, eu tinha a sensação de que também tinha vivido, de alguma maneira, toda aquela história. Não sei se é loucura da minha cabeça, mas, na hora em que ele falou do apego da mulher do fazendeiro com a menina, eu só conseguia me lembrar da minha relação com a Juliana, como se nós duas fôssemos as verdadeiras personagens daquela história... Você acha isso possível?

– Não sei... Também tive uma sensação muito esquisita quando o espírito contou que o tal fazendeiro tinha matado o pai e o irmão, e que o pai tinha uma preferência descarada pelo assassino... Depois, quando ele falou que o fazendeiro tinha se casado com a mulher do irmão, eu senti um aperto no peito, uma vontade de gritar, como se fosse a mim que ele tivesse traído... – recordou João Vítor com certa angústia.

– Eu também... – disse Lenita. – Mas... Será que o Alberto se manifestou? Dona Catarina tinha tanta certeza de que ele estava conosco... Ela não comentou nada...

– Talvez ele estivesse lá e não tenha podido se manifestar. Ou não quis, por alguma razão... – imaginou João Vítor.

– Estou aqui pensando uma coisa – continuou Lenita. – E se, por acaso, eu fosse mesmo a tal moça, e você, o irmão do fazendeiro assassino, o que morreu junto com o pai, então...

Nesse momento os olhos dos dois se encontraram, cheios de lágrimas. Depois de alguns instantes assim, João Vítor segurou as mãos de Lenita, e ela, também sentindo alguma coisa queimar dentro de si, pela primeira vez se deixou ficar, experimentando o calor daquele contato.

– Não sei se nós fomos aquelas pessoas – disse João Vítor, sem tirar os olhos de Lenita. – Só sei que estou com muita vontade de te beijar agora...

Não conseguindo mais resistir à atração que sentia por ele, Lenita apenas fechou os olhos e se deixou beijar longa e ternamente por João Vítor. Como que despertados por aquele beijo, abraçaram-se com tal força que era como se suas almas estivessem esperando há séculos por aquele reencontro.

Para João Vítor, era como se jamais houvessem existido outros lábios no mundo senão aqueles. Para Lenita, o beijo tinha gosto de saudades. Saudades de um tempo em que fora profundamente feliz, um tempo de que ela já nem se lembrava mais que existira. Somente mais de uma hora depois, os dois conseguiram se largar, com muita dificuldade.

– E agora? Como é que eu vou explicar isso para as crianças? – disse ela, sem conseguir parar de sorrir.

– Eu te ajudo. Depois que a gente se casar, eles se acostumam – respondeu ele.

– Casar? Você não está falando sério... – admirou-se ela, com os olhos brilhando de felicidade.

– Acho que eu nunca falei tão sério em toda a minha vida – garantiu ele. – No fundo, agora eu tenho a certeza de que eu sempre te amei. Só não podia admitir isso antes por causa do Alberto...

– Meu Deus! O Alberto! Será que ele era...

João Vítor tapou-lhe a boca delicadamente com a ponta dos dedos, antes de beijá-la mais uma vez.

– Não pense mais nisso – pediu ele, após o beijo. – Você não ouviu o que dona Catarina explicou agora há pouco no carro? Ela disse que não é bom a gente ficar fazendo conjecturas sobre o passado, e que Deus nos concede o esquecimento justamente para que não venhamos a sofrer com essas lembranças. Depois, não dá para ter certeza de nada... O melhor é a gente fazer o que ela nos aconselhou: esquecer tudo o que a gente ouviu sem querer naquela escada.

– A única certeza que eu tenho agora é a de que eu te amo e quero ficar com você pelo resto da minha vida – disse Lenita, beijando-o novamente.

No dia seguinte, Lenita acordou cedo e pôs-se a arrumar a casa. Trouxe todas as plantas da área para a sala, mudou alguns móveis de lugar, pendurou na parede algumas casinhas pintadas que comprara numa feirinha de artesanato recentemente. Sentia-se tão feliz que não conseguia parar de cantar.

Juliana e Felipe acordaram com o barulho do martelo e correram até a sala para ver o que estava acontecendo.

– O que você está fazendo, mamãe? – quis saber Felipe.

– Nossa! A sala ficou o máximo – exclamou Juliana.

– Reformas, queridos. Esta manhã, ao acordar, cheguei à conclusão de que é uma bênção a gente estar vivo neste mundo, se modificando a cada minuto. A partir de hoje, quero aproveitar cada minuto desta bênção! – respondeu Lenita, enquanto pendurava a última casinha na parede.

– Você está diferente, Lenita... – observou Juliana.

– Acho que ela acordou mais bonita – complementou Felipe.

– É que hoje estou muito, muito feliz! – disse Lenita, abraçando os dois.

– Aconteceu alguma coisa? – desconfiou Juliana.

– Bem, acontecer, aconteceu... – rodeou Lenita, enquanto procurava as palavras para contar a verdade aos dois.

– Fala, Lenita! – incentivou Juliana.

– Bom... Não sei como vou dizer isso para vocês, mas ontem, quer dizer... O João Vítor, ele...

– Já sei! – comemorou Felipe. – Você vai se casar com o tio João Vítor!

Lenita engoliu em seco. Não esperava que Felipe deduzisse tão depressa.

– É verdade, Lenita? – perguntou Juliana, séria.

– Você ficaria chateada se fosse? – arriscou Lenita.

– Oba! – gritou Felipe, agarrando as pernas da mãe.

– Claro que não! – disse Juliana, sorrindo. – Para dizer a verdade, outro dia, vendo vocês dois conversando, eu bem que pensei nessa hipótese. Que legal...

– Nossa! – respirou Lenita, aliviada. – Então quer dizer que vocês não estão bravos comigo?

– E por que nós ficaríamos? – respondeu Juliana, abraçando-a com carinho – Você não podia ficar viúva a vida toda. Você não tem nem trinta anos!

– Ah, no começo eu fiquei com um pouquinho de ciúmes de vocês dois – confessou Felipe com um olhar matreiro –, mas depois daquele dia em que o tio veio aqui quando eu estava doente, eu não fiquei mais... Fiquei até querendo que ele fosse nosso pai para sempre...

– Nosso outro pai para sempre, né, Felipe? – consertou Juliana.

– Claro, sua boba! – respondeu ele, bancando o metido.

– Obrigada, crianças! Vocês não imaginam a alegria que eu estou sentindo... Foi tudo tão de repente... – confidenciou Lenita com os olhos brilhantes.

Pouco depois, na mesa do café da manhã, Juliana abandonou o pão no prato e fixou os olhos no teto, esforçando-se para não chorar. Lenita logo percebeu:

– O que houve, Juliana? Você ficou triste de repente...

– É que eu estava pensando uma coisa... – ensaiou ela.

– Aqui em casa vive todo mundo pensando – reclamou Felipe.

– O que foi, meu amor? – quis saber Lenita.

– É que... Depois que você se casar com o tio João Vítor... eu... eu vou poder continuar morando aqui com vocês?

Lenita correu a abraçá-la:

– Que bobagem é essa? É claro que sim. Você não é a minha filhinha?

Juliana sorriu, mas Felipe ficou com ciúmes:

– E eu, mãe?

– Ora, vocês são dois bobões – respondeu Lenita, puxando-o também para o abraço.

– Sabe – disse Felipe satisfeito –, desde que o papai morreu que eu não via você tão feliz!

Desta vez foi Lenita quem ficou séria. Seus olhos estavam cheios de lágrimas quando ela perguntou:

– Vocês acham que ele ia ficar muito triste comigo se soubesse?

– Claro que não! – respondeu Felipe com sua desenvoltura habitual. – Aposto que ele também já deve ter arrumado uma namorada lá no céu. Depois, o tio João Vítor sempre foi nosso pai também, não é Ju?

As duas sorriram.

– Falando sério – acrescentou Juliana. – Acho que se o papai pudesse escolher alguém para casar com você, ele certamente ia escolher o tio João Vítor. Os dois sempre foram tão amigos...

– É... – ponderou Lenita. – Talvez vocês tenham razão...

Naquele dia, depois da aula, Juliana também tomou uma decisão muito importante. Pegou um ônibus na porta da escola e seguiu rumo à casa da mãe.

Foi a faxineira quem abriu a porta para Juliana. Selene estava deitada num quarto escuro, curando-se da ressaca do dia anterior. Estava muito abatida. Ao ver a filha, seus olhos se encheram de lágrimas.

– Vim conversar com você – disse Juliana.

– Veio me dar uma bronca... – respondeu Selene, deprimida.

– Não, eu não vim brigar com você – tornou Juliana, sentando-se na cama a seu lado. – Vim fazer uma proposta.

– Uma proposta? – surpreendeu-se Selene.

– É. Acho que não adianta nada você ficar me chantageando, dizendo que vai falar com o advogado para me obrigar a morar aqui com você e...

– Eu sei que você nunca vai me aceitar como sua mãe de verdade, não é mesmo?

– Não, não é mesmo – rebateu Juliana, de olhos baixos. – Eu quero te considerar como minha mãe de verdade.

Ela ergueu os olhos, encarou Selene e continuou:

– Apesar de você não acreditar, no fundo do meu coração, eu gosto de você. Só que eu acho que ser mãe não é simplesmente morar junto. Ser mãe é ser amiga, dividir segredos, ajudar nas horas difíceis e até brigar de vez em quando... Mas a gente não é isso, você me entende? A gente nunca conviveu como mãe e filha de verdade...

Selene chorava, sem saber o que dizer. Juliana, porém, continuou:

– A proposta que eu quero te fazer é a seguinte: que tal se a gente passasse a se encontrar toda semana, toda quarta-feira, por exemplo? Daí a gente podia conversar, passear no *shopping*, sei lá... Fazer essas coisas de mãe e filha... Eu podia até dormir aqui de vez em quando...

Selene abraçou Juliana comovida e, pela primeira vez na vida, as duas choraram juntas, sentindo-se amadas uma pela outra.

– Certo – disse Selene, fungando –, eu aceito a sua proposta. Acho que eu nem merecia ter uma filha tão legal como você. Mas prometo que vou me esforçar para ser pelo menos um pouquinho parecida com uma mãe de verdade. Está bom assim?

– Está bem para mim – respondeu Juliana, ainda emocionada, acarinhando os cabelos da mãe. – A única coisa que eu queria era que você não bebesse mais daquele jeito...

– Não vou mais – concordou Selene, envergonhada. – Eu prometo.

– E também queria que você não usasse mais esse anel – continuou Juliana, olhando para o anel de pedra preta que a mãe havia deixado em cima da mesinha de cabeceira.

– O anel? – perguntou Selene enxugando as lágrimas. – Mas eu já tenho esse anel há tanto tempo... O que há de errado com ele?

– Não sei – respondeu Juliana –, tem alguma coisa que me incomoda, me faz lembrar de um monte de vezes que eu te vi e você não estava legal...

– Bom – Selene deu de ombros –, se ele te incomoda tanto, pode jogar fora...

– Não – disse Juliana, pegando o anel. – Eu vou guardar comigo para me lembrar para sempre desse dia. Posso?

– Acho melhor não – discordou Selene, tirando-lhe o anel das mãos. – Eu realmente fiz muitas bobagens enquanto usava este anel, ele não vai ser uma boa recordação. O melhor mesmo é jogar fora.

Dizendo isso, ela lançou o anel numa pequena latinha de lixo para papéis que havia no quarto. Depois, abriu a gaveta da mesinha de cabeceira, de onde tirou uma pequena caixinha. Dentro dela havia um delicado anel de ouro.

– Tome – disse ela, colocando-o no dedo de Juliana –, fique com este para você. Meu pai me deu quando eu tinha a sua idade, pouco antes de você nascer. Foi o último presente que ele me deu...

Juliana sorriu comovida e beijou o anel. Era o primeiro presente que ganhava da mãe. Iria usá-lo para sempre. As duas se abraçaram mais uma vez. Juliana se despediu, prometendo voltar na quarta-feira seguinte.

Quando saiu de lá, sentia como se houvesse removido uma pedra do fundo de seu coração. Uma pedra preta muito maior do que aquela que a mãe atirara ao lixo.

Pensou em procurar Paulo, já que estava no mesmo prédio. Porém a vontade de voltar para casa foi mais forte. Estava ansiosa para contar a Lenita e João Vítor aquele encontro tão maravilhoso que tivera com a mãe. Além do mais, Paulo ficara de ligar para ela naquela noite, e ela achou que seria mais elegante ficar em casa esperando pelo telefonema do que bater pessoalmente na porta do apartamento dele.

Na verdade, assustada com os próprios sentimentos, Juliana começava a sentir um certo medo de Paulo. Só de pensar que ele poderia se declarar para ela, de uma hora para outra, sentia dor de barriga.

Pensando assim, atravessou depressa a portaria do prédio e correu para o ponto do ônibus, torcendo para que ele não aparecesse em seu caminho.

Capítulo 29

Alberto tomava seu café da manhã diante da janela de seu quarto, no instituto de tratamento, quando ouviu três batidinhas na porta. Já estava praticamente recuperado e gostava muito de receber visitas. Sobretudo de dona Amaziles, com quem agora adorava conversar. Tia Geninha e Laerte, o rapaz que conhecera nos jardins do hospital antes de sua "aventura" na Terra, também costumavam vir sempre visitá-lo.

– *É a senhora, dona Amaziles?* – perguntou ele, enquanto a porta se abria.

– *Não* – respondeu uma voz de homem. – *Mas espero que também seja bem-vindo...*

– *Primo Pedro!* – sorriu Alberto, já se preparando para abraçá-lo. – *Que bom revê-lo!*

– *Vejo que já está pronto para sair deste quarto e iniciar uma nova vida!* – observou Pedro, depois do abraço.

– *Sim* – concordou Alberto, satisfeito. – *Não vejo a hora de começar a ser útil. Doutor Márcio prometeu me dar alta até o fim desta semana* – ele sentou-se na cama.

– E você já tem onde morar? – perguntou Pedro.

– Dona Amaziles e tia Geninha me ofereceram um quarto na casa onde elas moram, aqui mesmo, no alojamento dos trabalhadores do instituto. Fiquei até emocionado com o convite. São duas mãezinhas que eu ganhei no plano espiritual... E por falar nisso, você tem tido notícias de meus pais?

– Sim – disse Pedro. *– Esta, aliás, foi uma das razões por que vim. Estive com a minha mãe por estes dias e ela me trouxe um recado da sua. Tia Eudóxia manda dizer que tem orado muito por você e que, assim que for possível obter uma licença, ela virá visitá-lo. Mas que você não pense que ela o esqueceu. Apenas não veio ainda porque anda muito ocupada com os trabalhos de auxílio a seu pai, no umbral.*

– Ah, minha mãe querida... Sempre preocupada comigo e com papai... Tomara que um dia eu possa evoluir o suficiente para viver na mesma colônia que ela... E o papai também, é claro...

– Se fizermos a nossa parte, logo, logo, esse dia chegará – garantiu Pedro. *– Mas, mudando de assunto, a outra razão que me trouxe até aqui é um rapazinho que vive lá na minha colônia e que estava ansioso para vê-lo.*

– Um rapazinho? – estranhou Alberto.

– Sim, ele está lá fora, esperando que eu o chame. Posso?

– Claro! – concordou Alberto, curioso.

Poucos instantes depois, Pedro introduzia no quarto um jovem, de quatorze anos, aproximadamente, muito sorridente.

– O senhor ainda se lembra de mim, "seu" Alberto?

Ao ouvir isso, os olhos de Alberto se encheram de lágrimas. A voz quase não saiu, de tanta emoção. O rapaz era Pingolim, um dos menores que vivia na porta da estação do metrô e que, meses antes de sua morte, fora brutalmente assassinado de madrugada, por um grupo de delinquentes.

– Eu jamais poderia esquecer esse sorriso, Pingolim. Como você está forte, bonito! Sem querer ser irônico, a morte te fez bem...

– Sabe, seu Alberto, o que me fez bem foi a minha última encarnação, e principalmente pessoas como o senhor, que me ensinaram a importância do amor e de não guardarmos revolta dentro de nós. Foi por isso que eu vim aqui. Para lhe agradecer por todo o carinho que recebi do senhor. Pensando nesse carinho, eu tive forças para perdoar os homens que me fizeram passar por aquela experiência tão dolorosa, mas que eu sei ter sido necessária para a minha evolução – admitiu, humilde, o rapaz.

– Eu é que te agradeço por estas palavras – respondeu Alberto, com o rosto banhado em lágrimas – *e peço a Deus que te abençoe hoje e sempre.*

Depois que Pingolim e Pedro se despediram, Alberto ainda passou muito tempo sob o impacto daquela emoção, pensando como era misericordioso aquele Pai que ele tanto havia questionado em sua última passagem pelo planeta. Quantas oportunidades Ele nos dava a cada existência para que pudéssemos nos aprimorar moral e espiritualmente por meio da prática do bem...

No fim do dia, quando o doutor Márcio chegou para ver como ele estava passando, havia tomado uma decisão:

– Doutor, eu gostaria de trabalhar com as crianças carentes que desencarnam na Terra. Será que é possível?

– Mas isto é ótimo! – comemorou o doutor Márcio. – *Não sei se você sabe, mas aqui mesmo, neste hospital, temos uma área reservada para essas crianças, onde até bem pouco tempo atrás Geninha atuava como coordenadora. Se eu não me engano, Amaziles está para assumir suas funções ainda esta semana, já que Geninha encontra-se ainda bastante ocupada na Terra...*

– E o senhor acha que elas me aceitariam como membro da equipe? Olha, eu prometo me empenhar o máximo em qualquer função, por mais modesta que seja...

– Vamos falar com elas. Se depender de mim, você já pode começar amanhã. Acredito que a resposta das duas será a mesma. Afinal, se já o convidaram até para morar com elas, com toda certeza ficarão felizes com seu pedido.

Alberto abraçou o médico, agradecido. Jamais imaginara que alguém pudesse ser tão feliz no plano espiritual quanto ele estava se sentindo naquele momento.

Capítulo 30

Seis meses depois, no dia em que Juliana completava dezesseis anos, Lenita e João Vítor se casaram. Avessos a muita badalação, os dois optaram por uma cerimônia simples, realizada no novo apartamento que João Vítor comprara para morar com a família. Dona Catarina e o senhor Fernandez Ferraz foram os padrinhos e presentearam o casal com um bonito jogo de cozinha que, além dos armários, incluía também um fogão de seis bocas, uma geladeira com *freezer* e um multiprocessador.

Dona Catarina resistira bastante à compra de um presente tão caro, mas o senhor Fernandez insistira em arcar com todas as despesas sozinho, exigindo apenas que ela assinasse o cartão que ele redigira, expressando seus sinceros desejos de felicidade aos noivos. Como fizesse questão de dar pelo menos uma lembrança àqueles amigos a quem tanto amava, dona Catarina então resolveu comprar o multiprocessador e enviá-lo junto com o jogo de cozinha.

Por mais que tentasse encontrar explicações em seus livros espíritas, dona Catarina não conseguia entender o que ocorrera com o senhor Fernandez depois daquele dia em que João Vítor surpreendera a todos com seu discurso sobre Alberto. Não contente em homenagear o antigo funcionário com uma polpuda gratificação, a qual entregara pessoalmente à Lenita e às crianças, o velho solitário encantou-se com a doçura de Juliana e Felipe e passou a visitá-los com frequência.

Olhando-o agora, sentado no sofá com Felipe no colo, dona Catarina não reconhecia mais aquele homem ranzinza para quem trabalhara durante tantos anos. Para seu espanto ainda maior, poucos minutos depois, ele levantou-se do sofá e, após cochichar qualquer coisa ao ouvido de Felipe, veio tirá-la para dançar. Viúva há tantos anos, dona Catarina nem se lembrava mais do que era dançar, mas ele mostrou-se tão gentil que ela não teve como resistir.

A festa estava muito animada. Embora os pais de Lenita não tivessem podido vir da Inglaterra, a casa estava lotada de amigos do casal. Além do pessoal do escritório e da editora onde Lenita trabalhava, os dois convidaram também os colegas do curso de estudos de mediunidade, o qual agora frequentavam assiduamente. Lenita e João Vítor haviam se encontrado no Espiritismo. Assistiam sempre às palestras da sessão aberta ao público, aos domingos; às segundas realizavam o estudo do Evangelho no lar com Juliana e Felipe; às terças-feiras frequentavam a reunião de estudos mediúnicos. Às sextas-feiras, à tardinha, ainda trabalhavam na cantina do centro, integrando a equipe que preparava a sopa para os necessitados, a qual atendia a muitos menores carentes.

– Nós recebemos tanta ajuda nesta casa que tudo o que fizermos para retribuir será pouco. Além disso, trabalhar na sopa para os necessitados foi a maneira que encontrei para homenagear o Alberto. Chego a sentir sua presença a meu lado cada vez que estou servindo uma criança carente – costumava dizer Lenita.

Juliana também não perdia uma reunião da mocidade espírita, nos sábados à tarde, onde havia conquistado uma turma de amigos. Muitos deles, assim como Paulo, também ajudavam na educação infantil. Talvez por ciúmes da afinidade de Juliana com seus novos amigos, Paulo fosse o único da festa que não parecia satisfeito. Na verdade, desde a época em que Lenita e João Vítor haviam assumido publicamente seu namoro, Paulo e Juliana continuavam vivendo intensamente aquela brincadeira de gato e rato.

Enquanto quase todos os convidados dançavam em torno de Lenita e João Vítor, ele mantinha-se calado e triste num canto do sofá, apertando nas mãos um pequeno embrulhinho de papel colorido. Selene percebeu que ele não estava bem e foi ao seu encontro:

– E aí, Paulo? Por que não está dançando com o resto do pessoal?

– Você também não está – observou Paulo, cabisbaixo.

– Ah... É que eu estou me sentindo meio perdida no meio de todos, sabe como é que é, *mon cher*? Não é a minha turma... Mas você...

De tão chateado, Paulo nem percebeu que Selene finalmente aprendera com Juliana a pronunciar corretamente o adjetivo francês de que ela tanto gostava. Depois de alguns minutos em silêncio, ele desabafou, nervoso:

– Puxa, Selene, você acha isso justo? Eu vivo cheio de cuidados com a Juliana... fui eu que apresentei todo mundo para ela, e agora ela nem se lembra que eu existo!

Selene leu em seus olhos a paixão que ele sentia pela filha. Sabia que Juliana não era indiferente a Paulo, embora não admitisse os próprios sentimentos. Lembrou-se, então, dela mesma, na idade de Juliana, e resolveu dar uma mãozinha:

– Sabe o que é, Paulo, eu acho que a Juliana está com medo de assumir o que ela sente por você...

– Ela só foge de mim, Selene! Sempre que acaba a reunião, ou ela sai correndo ou então fica de segredinho com as meninas do grupo...

– Mas você também nunca mais ligou para ela... – contemporizou Selene.

– E ela foi à sua casa várias vezes e nunca passou nem para me dizer um oi! – cobrou Paulo.

Selene coçou a cabeça, pensativa. Por que os adolescentes sempre tinham que complicar tanto as coisas? Mais do que ninguém, tinha a certeza de que Juliana estava apaixonada por Paulo, e ele por ela, mas por que os dois não se entendiam?

– Escute, Paulo – arriscou ela. – Por que você não toma coragem, chama a Juliana e diz para ela tudo o que você está sentindo?

– E... e... eu? – assustou-se Paulo. – Ma... mas e se ela não gostar? Se nunca mais quiser falar comigo?

– Duvido! – provocou Selene. – Bom, eu já falei o que eu tinha para dizer. Aliás, já falei até mais do que devia. Agora é com vocês, *mon cher*...

Ela se dirigiu à cozinha e ficou observando Paulo de longe. Viu quando ele se levantou decidido e caminhou até Juliana, que dançava no meio do grupo de amigos. Paulo a olhou por algum tempo, até que um dos rapazes do grupo entrou na roda com Juliana e, não conseguindo se conter de ciúmes, ele virou-se de costas e caminhou até a porta. Prevendo o que estava prestes a acontecer, Selene correu até Juliana e puxou-a da roda para um canto da sala.

– Mãe? O que houve? – perguntou Juliana, ofegante.

– Ele está indo embora.

– Ele quem?

– Ele quem, Juliana? – repetiu Selene.

– O Paulo? O que tem de mais? Ele nem falou direito comigo até agora.

– Ah, quer saber? Vocês são dois tolos – suspirou Selene. – Ele está chateado porque você não falou com ele.

– Mas o aniversário é meu! – protestou Juliana.

– E por acaso a Lenita não te ensinou que quando a gente dá uma festa tem a obrigação de receber os nossos convidados?

– Mas... – tentou argumentar Juliana.

– Você é quem sabe, Juliana. Ele está abrindo a porta. Sinceramente, se eu fosse ele, nunca mais te procurava...

Juliana olhou para a porta e viu que a mãe estava dizendo a verdade. Olhou mais uma vez para Selene e decidiu correr até lá. Paulo já estava entrando no elevador quando ela gritou por ele, que se virou de imediato.

– Eu não acredito que você está indo embora sem ter me dado nem os parabéns! – reclamou Juliana.

– Você quer mesmo que eu te dê os parabéns? – desafiou Paulo.

– Claro que sim, eu...

Juliana não teve tempo de terminar a frase. Paulo agarrou-a ali mesmo, na porta do elevador, e deu-lhe um demorado beijo.

Juliana correspondeu com paixão.

– Puxa... – suspirou ela, envergonhada, depois do beijo – Eu...

– Trouxe isso para você – conseguiu dizer ele, estendendo o pequeno embrulho que tirou do bolso.

Juliana pegou e rasgou ansiosa. Era uma delicada pulseira com pedras azuis.

– Mas é linda... – admirou-se.

– Quer namorar comigo? – perguntou ele, olhando fixamente para seus olhos.

Juliana enlaçou-o num abraço e os dois começaram a se beijar novamente, até que foram despertados por uma salva de palmas que vinha da porta do apartamento. Selene, Lenita, João Vítor, Felipe, dona Catarina e todos os convidados aplaudiam satisfeitos o feliz desfecho do romance.

Embora não pudessem ser vistos pelos presentes, um grupo de espíritos também comemorava a felicidade da família. Eram os trabalhadores da Casa Espírita Maria de Nazaré, que lá estavam para prestigiar a festa com seus fluidos de paz e de luz. Entre eles estavam tia Geninha e Alberto, além do doutor Márcio e de dona Amaziles, os quais tinham vindo especialmente para acompanhar Alberto em sua primeira visita autorizada à Terra. Findos os aplausos, o doutor Márcio convocou Alberto e dona Amaziles para que retornassem aos seus afazeres:

– *É hora de partirmos. Alberto ainda não se encontra em condições de permanecer por muito tempo aqui na crosta.*[13]

– *Não tenho nem palavras para agradecer a vocês por terem me trazido até aqui...* – disse Alberto, emocionado.

– *Agradeça a você mesmo* – disse o doutor Márcio. – *Caso não tivesse merecimento, mesmo que quiséssemos, não poderíamos realizar seu desejo.*

– *É verdade* – complementou dona Amaziles. – *Alberto tem se revelado um excelente colaborador no plano espiritual. Não sei o*

13. Região mais próxima à crosta terrestre, na qual os espíritos recém-desencarnados tendem a vagar em virtude de seu apego à matéria. Quanto mais afastada da crosta terrestre, mais pura a atmosfera espiritual.

que seria de mim sem a sua ajuda no atendimento aos irmãozinhos carentes que chegam à colônia!

– Sem contar o empenho com que vem se dedicando aos estudos, não é mesmo, doutor Márcio? – acrescentou tia Geninha. – *Sim, Alberto, estamos todos muito felizes por você! Quem sabe em breve não poderei ter você como ajudante aqui na Terra?*

Alberto abaixou a cabeça, envergonhado. Sabia que, por enquanto, não poderia auxiliar os seus, pois encontrava-se ainda entre os necessitados de ajuda. Olhou mais uma vez com ternura para aqueles a quem tanto amava e sumiu no espaço, na companhia de seus amigos.

Capítulo 31

No dia seguinte, Alberto cuidava dos jardins da casa onde vivia, em companhia de dona Amaziles e de tia Geninha, quando foi surpreendido pela visita de Laerte e do doutor Márcio. Os dois mostraram-se surpresos com a beleza das flores que Alberto estava plantando.

– *São girassóis* – explicou ele. – *Chegaram esta manhã, enviados por Lenita e Juliana.*

– *Elas sempre te mandam flores?* – quis saber Laerte.

– *Pelo menos uma vez por semana* – confirmou Alberto.

– *Estão vendo aqueles vasos na entrada da casa?*

Os dois olharam para a soleira da porta, onde havia dezenas de vasos de flores coloridas, entre os quais dois de flores amarelas, quase iguaizinhos.

– *São lindos* – observou Laerte.

– *Quase todos foram elas que me mandaram. Menos aquele primeiro, de flores amarelas, que recebi quando ainda estava no hospital. Aquele veio de João Vítor.*

– *Daquele eu me lembro* – afirmou o doutor Márcio. – *Aliás, dos dois amarelos... Fui eu quem trouxe o segundo para cá, na época em que você andava perambulando por sua antiga residência...*

– *E, afinal, como foi a festa?* – interrompeu Laerte, notando o constrangimento de Alberto. – *Estou ansioso para saber...*

– *O doutor Márcio ainda não te contou?* – estranhou Alberto.

– *Não quis te tirar esse prazer* – emendou o doutor Márcio.

– *Ah, foi maravilhoso...* – recordou-se Alberto. – *Juliana estava linda, parecia até uma princesinha... Agora está namorando Paulo.*

Alberto ficou um pouco sério. Como pai extremoso que fora, ainda não conseguira se convencer completamente de que a filha estava namorando.

– *Soube que é um bom rapaz* – considerou Laerte. – *E Selene? Como estava?*

– *Achei-a bem melhor* – comentou Alberto. – *Parece mais tranquila, mais centrada. A convivência com Juliana está lhe fazendo muito bem. As duas estão se tornando amigas. Apenas lamento que ela continue saindo com aqueles seus "amigos" da alta sociedade... E que jamais tenha aceitado um convite de Juliana para ir ao centro...*

– *As pessoas não mudam da noite para o dia* – interferiu o doutor Márcio. – *A verdadeira transformação se opera lentamente, e é sempre conduzida pelo amor. Tenho certeza de que, na medida em que for se sentindo fortalecida pelo amor de Juliana, Selene também acabará por abandonar seus antigos hábitos...*

– *O senhor tem razão* – refletiu Alberto. – *Como diz em* O Livro dos Espíritos, *todo homem se desenvolve por si mesmo, naturalmente. Mas nem todos progridem ao mesmo tempo e do mesmo modo, cabendo aos que estão mais adiantados a tarefa de auxiliar a evolução e o progresso dos outros...*[14]

---

14. O *Livro dos Espíritos*. São Paulo: Petit Editora, Capítulo 8, questão 779.

– *Exatamente* – concordou o doutor Márcio. – *Vejam o caso de Xantipa, por exemplo. Ele demorou quase um século para reconhecer seus erros do passado.*

– *Nossa, quanto mais converso com vocês, mais eu percebo o quanto ainda me falta aprender* – considerou Laerte.

– *E por falar em Xantipa* – quis saber Alberto –, *o senhor tem notícias dele?*

– *Ele está no umbral, se recuperando em um posto de socorro. Pediu para reencarnar como filho de Paulo e Juliana, quando os dois se casarem.*

– *E o pedido foi aceito?* – perguntou Laerte.

– *Ainda não* – informou o doutor Márcio –, *mas é provável que seja. Xantipa está se preparando para isso. De qualquer forma, acredito que Juliana e Paulo ainda vão demorar bastante a se casar...* – ele quis logo tranquilizar Alberto.

– *E eu inicio meu estágio como enfermeiro na semana que vem* – informou Laerte, todo contente. – *Mas* – continuou ele, dirigindo-se a Alberto – *e Lenita e João Vítor? Você não me contou nada sobre eles...*

– *Lenita e João Vítor estão bem, estão muito bem...* – afirmou Alberto, enterrando melhor as sementes no chão. Ele parecia distante, inteiramente absorto em sua tarefa.

– *Agora me diga a verdade, Alberto* – inquiriu Laerte, vendo-o tão meditativo. – *Você não sentiu nenhuma pontinha de ciúmes ao vê-los juntos?*

– *Mas que pergunta indiscreta, Laerte!* – repreendeu-o o doutor Márcio. Laerte já ia pedir desculpas, quando Alberto, depois de pensar por alguns instantes, fez questão de responder:

– *Não, Laerte, eu não senti. Primeiro, porque estou feliz por eles terem conseguido reconstruir, de uma maneira tão bonita, tudo aquilo que eu destruí tão levianamente no passado. Depois, porque sei que, aconteça o que acontecer, eu sempre ocuparei um lugar especial no coração de cada um deles. Na última encarnação, todos nós nos amamos muito...*

Laerte e o doutor Márcio sorriram, comovidos pela bela lição que Alberto aprendera. Este, porém, interrompeu os pensamentos de ambos, estendendo uma enxada para Laerte:

– Já que você ainda não iniciou seu estágio como enfermeiro, me ajude aqui... Estou disposto a plantar girassóis por todo este quintal. Quero cultivar um jardim de girassóis em homenagem a todos aqueles que amo, um jardim tão bonito quanto aquele que eu via da janela de meu quarto no hospital!

– Mas eu não entendo – protestou Laerte. *– Há tantas flores bonitas por aqui, uma infinidade de espécies que nem existem na Terra, e você quer plantar justamente girassóis?*

– Sabe o que é, Laerte? – interveio o doutor Márcio. *– Para Alberto, os girassóis significam muito mais do que qualquer outra flor do mundo espiritual, porque o fazem lembrar-se de sua família, não é verdade, Alberto? Além de que, os girassóis trazem em si uma simbologia muito especial. Como diz o nome, essas flores, de fato, viram-se para seguir o curso diário do Sol, de leste a oeste. Da mesma maneira, nós deveríamos sempre canalizar nossas mentes e nossos pensamentos em direção a Deus, que é nossa fonte de luz maior, o verdadeiro Sol de nossas vidas. Fazendo isso do nascer ao poente de cada uma de nossas existências, estaremos sempre evoluindo.*

Alberto sorriu com admiração para o doutor Márcio e estendeu novamente a enxada a Laerte.

– Tudo bem, tudo bem. Não está mais aqui quem falou. A dona Amaziles e a dona Geninha certamente vão adorar essa ideia – respondeu ele, vencido, tomando a sua enxada.

Enquanto isso, na Terra, Lenita, João Vítor, Felipe e Juliana escolhiam o lugar mais florido da nova sala para botar um porta-retratos com a foto de Alberto. Felipe e Juliana optaram por colocá-lo justamente embaixo do vaso de girassóis que Lenita ganhara de João Vítor naquela manhã.

Ao terminar a leitura deste livro, talvez você tenha ficado com algumas dúvidas e perguntas a fazer, o que é um bom sinal. Sinal de que está em busca de explicações para a vida. Todas as respostas de que você precisa estão nas Obras Básicas de Allan Kardec.

Se você gostou deste livro, o que acha de fazer que outras pessoas venham a conhecê-lo também? Poderia comentá-lo com aquelas do seu relacionamento, dar de presente a alguém que talvez esteja precisando, ou até mesmo emprestar àquele que não tem condições de comprá-lo. O importante é a divulgação da boa leitura, principalmente a da literatura espírita. Entre nessa corrente!